Johannes Gerbes
Frauke van der Werff

Fit fürs Goethe-Zertifikat A2
Start Deutsch 2

Hueber Verlag

Quellenverzeichnis
Seite 38: Brandenburger Tor © MEV; Köln © Thinkstock/iStock;
Hamburger Hafen © Thinkstock/iStock/Ralf Grosch

8. 7. 6.   Die letzten Ziffern
2019 18 17 16 15   bezeichnen Zahl und Jahr des Druckes.
Alle Drucke dieser Auflage können, da unverändert,
nebeneinander benutzt werden.
1. Auflage
© 2007 Hueber Verlag GmbH & Co. KG, 85737 Ismaning, Deutschland
Zeichnungen: Sepp Buchegger, Tübingen
Layout/Satz: Catherine Avak, München
Druck und Bindung: Kessler Druck + Medien GmbH & Co. KG, Bobingen
Printed in Germany
ISBN 978–3–19–001873–4

Art. 530_06491_001_06

Inhaltsverzeichnis

Vorwort

Liebe Deutschlernerinnen und Deutschlerner,

in diesem Arbeitsbuch finden Sie 5 Module:
Modul 1: Hören
Modul 2: Lesen
Modul 3: Schreiben
Modul 4: Sprechen

Modul 5: Simulation Prüfung *Goethe-Zertifikat A2/Start Deutsch 2*

Die Module 1–4 haben drei Teile:
– Wortschatz mit Übungen
– Tipps mit Übungen
– Übungen zur Prüfung

Das Modul 5 hat vier Teile: Hören, Lesen, Schreiben, Sprechen

Für Modul 1 (Hören) und für Modul 5 (Simulation der Prüfung) brauchen Sie die CD im Buch. Neben den Aufgaben zum Hören finden Sie immer die Track-Nummer des passenden Hörtextes auf der CD.
Die Hörtexte und die Lösungen für alle Übungen finden Sie im Anhang.

Ein Tipp: Machen Sie in den Modulen 1–4 immer zuerst die *Übungen zum Wortschatz!*

Wir wünschen Ihnen viel Freude bei der Arbeit!

Die Autoren

Modul 1: Hören

Übungen zum Wortschatz

Wortschatz „Freunde"

(Hilfe finden Sie in der Wortliste auf Seite 9.)

1. Was können Sie über eine Person sagen? Kreuzen Sie an.

	Richtig	Falsch
a. Ich finde ihn ziemlich unhöflich.	☒	☐
b. Sie ist elektrisch.	☐	☐
c. Sie ist überall bekannt.	☐	☐
d. Er sieht interessant aus.	☐	☐
e. Er trägt immer sportliche Kleidung.	☐	☐
f. Er kommt sehr hässlich.	☐	☐
g. Ich finde sie sehr hübsch.	☐	☐
h. Sie gefällt mir sympathisch.	☐	☐
i. Sie ist 12 m hoch.	☐	☐
j. Er ist sonst immer ganz pünktlich.	☐	☐
k. Er ist ganz anders als ich.	☐	☐

2. Wie heißt das Gegenteil?

freundlich	_____	höflich	_____
sympathisch	_____	lustig	_____
hübsch	_____	leise	_____
dick	_____	groß	_____
ruhig	_____	jung	_____

3. Schreiben Sie den Text zu Person B.

Benutzen Sie die Wörter aus Spalte C.

A	B	C
a. Ich möchte von Karl erzählen.	*Seine Schwester Elisabeth ist ganz anders.*	anders
b. Ich finde Karl ziemlich langweilig.		lustig
c. Er ist 32 Jahre alt und arbeitet in einer Bank.		19 – studieren
d. Er trägt jeden Tag einen grauen Anzug und eine Krawatte.		Lieblingsfarbe: rot
e. Er hat zwei Freunde, die drei gehen immer zusammen in den Fitnessclub.		viele Freunde – tanzen

A	B	C
f. Seine Freunde sagen, dass Karl ein ganz normaler Bankange-stellter ist.		ziemlich verrückt
g. Karl wohnt allein in einem kleinen Apartment.		mit zwei Freundinnen
h. Wenn er abends nach Hause kommt, hört er gern klassische Musik.		kochen
i. Manchmal geht er in die Oper, am liebsten mag er Wagner.		Kino – Liebesfilme
j. Am Wochenende muss er sich ausruhen. Er sagt, dass seine Arbeit sehr schwierig ist.		Ausflüge – Spaß haben
k. Im Urlaub fährt er nach Spa-nien und liegt dort am Strand.		Ausland – Sprachen lernen

4. In den Sätzen a–k sind zwei Dialoge: „Im Cafe" und „Im Büro".

Schreiben Sie beide Dialoge zuerst in Ihr Heft. Ergänzen Sie dann die Buchstaben.

a Am besten sagst du ihr, dass du um Mitternacht schlafen willst!

~~Hast du den neuen Kollegen schon gesehen? Der sieht sehr gut aus.~~

c Ah, ist er Ausländer?

~~Weißt du, meine neue Nachbarin ist ja ganz nett, aber es ist jetzt abends immer so laut!~~

e Nein, nicht jeden Abend, aber ziemlich oft. Was soll ich denn nur machen?

f Ja, er kommt aus England, aus Manchester, glaube ich.

g Ja, aber er kann nicht so gut Deutsch.

h Ja, Musik auch, aber das Schlimmste ist, dass sie so viel Besuch hat.

i Finde ich auch. Hast du schon mit ihm gesprochen?

j Hört sie so laute Musik, oder was ist los?

k Dann können wir doch ein bisschen Englisch mit ihm üben.

l Passiert das wirklich jeden Abend?

Im Café
1 d
2 ☐
3 ☐
4 ☐
5 ☐
6 ☐

Im Büro
1 b
2 ☐
3 ☐
4 ☐
5 ☐
6 ☐

5. Was ist richtig? Kreuzen Sie an.

1 Wie viele Leute willst du zu deiner Party _a_ .
- ☒ einladen
- ⓑ kommen
- ⓒ anrufen

2 Er ist immer anderer Meinung als ich, wir ____ uns jeden Tag.
- ⓐ diskutieren
- ⓑ sagen
- ⓒ streiten

3 Ruf mich heute Abend an, ich muss dir etwas ____ .
- ⓐ geben
- ⓑ erzählen
- ⓒ zeigen

4 Wir waren zusammen in der Ausstellung, ____ du dich nicht mehr?
- ⓐ siehst
- ⓑ erinnerst
- ⓒ weißt

5 Der neue Arbeitsplatz gefällt mir, ich kann jetzt ____ .
- ⓐ zufrieden sein
- ⓑ alt sein
- ⓒ müde sein

6 Der ganze Plan ist falsch, ich denke, dass du auch ____ .
- ⓐ froh bist
- ⓑ allein bist
- ⓒ dagegen bist

7 Warum ____ du nicht? Findest du die Geschichte nicht lustig?
- ⓐ lachst
- ⓑ sagst
- ⓒ passierst

8 Das war alles ganz anders, ich bin sicher, dass er ____ .
- ⓐ lacht
- ⓑ erzählt
- ⓒ lügt

6. Welches Wort passt?

a. Grüße b. aussieht
c. Brieffreund d. höre
e. Freundin f. Schwimmen
g. Freund h. Spaß i. Ausstellung j. Vorschläge
k. Wochenende l. erzähl
m. Türkei n. Grundschule
o. Prüfungen p. bleibe
q. blond

Sybille schreibt an ihren türkischen (1) _c_ .

Lieber Taner,

ich will Dir heute von meiner besten (2) ____ erzählen. Sie heißt Erika und ich kenne sie schon sehr lange. Wir waren schon in der (3) ____ zusammen.

Wir haben immer alles zusammen gemacht: Hausaufgaben, (4) ____, Klassenausflüge, Arbeitsgruppen.

Möchtest Du wissen, wie Erika (5) ____? Sie ist ganz anders als ich: (6) ____, sehr sportlich und sie hat immer ganz tolle Ideen. Du weißt ja, dass ich am (7) ____ gern zu Hause (8) ____ und lese oder Musik (9) ____, aber Erika hat immer 1000 (10) ____: ein Film, eine (11) ____, ein Konzert, eine neue Disko – na ja, meistens gehe ich dann auch mit und wir haben zusammen eine Menge (12) ____!

Ist das bei Euch in der (13) ____ auch so? Hast Du auch einen „besten (14) ____"? Dann (15) ____ mir doch mal von ihm!

Das war's für heute, Taner, ich gehe jetzt mit Erika zum (16) ____

Liebe (17) ____ von
Sybille

Wortliste „Freunde"

1. Welche Wörter kennen Sie? Kreuzen Sie an.
Suchen Sie die unbekannten Wörter im Wörterbuch.

die Angst	☐	das Aussehen	☐	der Bekannte	☐	die Bekannte	☐
der Besuch	☐	die Erfahrung	☐	das Gesicht	☐	die Gruppe	☐
die Menge	☐	die Meinung	☐	die Mitteilung	☐	der Nachbar	☐
die Nachbarin	☐	der Verwandte	☐	die Verwandte	☐		

2. Wie heißen diese Verben in Ihrer Muttersprache?

sich ärgern	_____	sich erinnern	_____
aussehen	_____	erzählen	_____
dagegen sein	_____	kennenlernen	_____
dafür sein	_____	lachen	_____
tragen	_____	streiten	_____
froh sein	_____	traurig sein	_____
einladen	_____	lügen	_____

3. Wie heißen diese Adjektive in Ihrer Muttersprache?

dick	_____	hässlich	_____
dünn	_____	ruhig	_____
freundlich	_____	sympathisch	_____
höflich	_____	lustig	_____
hübsch	_____	traurig	_____
nett	_____	verrückt	_____
nervös	_____	zufrieden	_____
neugierig	_____	fleißig	_____

Wortschatz „Umwelt"

(Hilfe finden Sie in der Wortliste auf Seite 12.)

1. Wo möchten Sie am liebsten wohnen?

Schreiben Sie Sätze mit „weil". Sie können diese Wörter benutzen.

~~Wald~~ · Theater · Autos · Geschäfte · Universität · Arbeitsplätze · Luft · Landschaft ·
Kino · Restaurant · Freunde · Familie · Industrie · Museum · Garten · Bäume · Berge ·
Einkaufsstraße · Menschen

A Ich möchte in einer großen Stadt wohnen,

weil _____

weil _____

_____

_____

B Ich möchte in einem Dorf wohnen,

weil ich gern im Wald spazieren gehe.

_____

_____

_____

2. Kreuzen Sie an: Richtig oder Falsch ?

Das Wetter morgen

Auch an diesem Wochenende wird es in Deutschland noch nicht richtig sommerlich warm. Im Norden gibt es am Samstag viel Regen und das Thermometer steigt nicht über 18 Grad. Im Süden, in Bayern und Baden-Württemberg, ist es wärmer, aber auch da bleibt es den ganzen Tag nass und windig. Die Sonne zeigt sich morgen nur im Osten; in Sachsen und Thüringen gibt es bis mittags noch Wolken und leichten Regen, aber am Nachmittag scheint die Sonne und die Temperaturen liegen um 25 Grad.

Eine Mitteilung für die Autofahrer in Schleswig-Holstein: An der Nordsee gibt es am frühen Morgen sehr viel Nebel und starken Westwind, seien Sie vorsichtig auf dem Weg zur Arbeit!

	Richtig	Falsch
a. Das Wetter ist am Wochenende sehr gut.	☐	☒
b. Im Norden scheint am Nachmittag die Sonne.	☐	☐
c. In Sachsen regnet es am Vormittag.	☐	☐
d. In Bayern liegt die Temperatur über 18 Grad.	☐	☐
e. In Baden-Württemberg regnet es.	☐	☐
f. In Bayern gibt es Wind und Regen.	☐	☐
g. In Thüringen ist es nachmittags sonnig und warm.	☐	☐
h. An der Ostsee ist es morgens neblig.	☐	☐

3. Welches Wort passt?

a. gelacht b. Handy c. los d. Jugendherberge e. warst ~~f. gestern~~ g. gewartet h. nass
i. schnell j. eingestiegen k. Wetter l. Minuten m. gekommen

```
○ ○ ○              Information — Eingang                    ▭
  ⊘          ⊟         ←        ≪        →        ⎙
E-Mail(s) löschen  Ist Werbung  Antworten  An alle  Weiterleiten  Drucken

Hallo Bernd,

was war denn (1) _f_ mit Dir los? Warum bist Du nicht
(2) ____? Und auf dem (3) ____ hast Du auch nicht
geantwortet! Wir haben 20 (4) ____ auf dem Bahnsteig
auf Dich (5) ____, dann sind wir in den Zug nach Celle
(6) ____.

Das (7) ____ war ja nicht so toll; es hat geregnet und
wir sind ganz (8) ____ in der (9) ____ angekommen.
Aber wir haben so viel (10) ____! Schade, dass Du nicht
dabei (11) ____!

Was ist (12) ____? Antworte (13) ____! Sylvi
```

4. Was ist richtig? Kreuzen Sie an.

1 Dieses Medikament bekommen Sie
  nur in _a_ .
  - ☒ der Apotheke
  - ☐ einem guten Geschäft
  - ☐ einem Laden

2 Ich bin Türkin, meine ____ ist Anatolien.
  - ☐ Land
  - ☐ Landschaft
  - ☐ Heimat

3 Draußen ist alles weiß, es hat in der Nacht
  ____.
  - ☐ geregnet
  - ☐ geschienen
  - ☐ geschneit

4 Wir fahren dieses Jahr nicht ans Meer,
  ich möchte lieber in ____.
  - ☐ die Welt
  - ☐ die Berge
  - ☐ den Fluss

5 Was wird in dieser Fabrik ____?
  - ☐ hergestellt
  - ☐ hingestellt
  - ☐ vorgestellt

6 Achtung, dieses Produkt ist sehr
  gefährlich, es ist ____!
  - ☐ grün
  - ☐ gut
  - ☐ giftig

7 Das Dorf ____ am Fluss.
  - ☐ liegt
  - ☐ wohnt
  - ☐ legt

8 Im Garten ist es heute zu kalt, wir
  müssen ____ essen.
  - ☐ draußen
  - ☐ drinnen
  - ☐ darum

5. Korrigieren Sie den Text.

In jedem Satz ist ein Wort falsch. Sie können diese Wörter benutzen.

renoviert · Einwohner · ~~groß~~ · Großstadt · Fluss · regnet · Geschäfte · Nähe · Luft

a. Meine Heimatstadt ist nicht sehr <u>dick</u>. _____groß_____

b. Die Stadt hat nur 12 000 Leute. _____

c. Sie liegt an einem Meer, an der Donau. _____

d. Im Stadtzentrum gibt es ein paar kleine Dörfer. _____

e. Aber meistens fahren wir zum Einkaufen in die Berge. _____

f. Im Sommer kommen viele Touristen zu uns, weil die Fabrik hier so gut ist. _____

g. In der Landschaft gibt es auch ein Schloss. _____

h. Das kann man aber leider nicht besichtigen, weil es gerade gemacht wird. _____

i. Im Winter ist das Wetter oft sehr schlecht, es scheint fast immer. _____

Wortliste „Umwelt"

1. Welche Wörter kennen Sie? Kreuzen Sie an.
Suchen Sie die unbekannten Wörter im Wörterbuch.

die Apotheke	☐	das Geschäft	☐	der Laden	☐	das Theater	☐
der Aufzug	☐	die Ausstellung	☐	der Baum	☐	die Blume	☐
der Park	☐	der Wald	☐	der Spielplatz	☐	der Berg	☐
das Dorf	☐	die Stadt	☐	der Ort	☐	die Einrichtung	☐
der Einwohner	☐	die Nähe	☐	die Fabrik	☐	der Fluss	☐
die Heimat	☐	die Landschaft	☐	die Industrie	☐	die Luft	☐
der Müll	☐	das Auto	☐	der PKW	☐	der LKW	☐
die Straßenbahn	☐	die U-Bahn	☐	das Wetter	☐	das Gewitter	☐
der Nebel	☐	die Sonne	☐	der Wind	☐	der Schnee	☐
der Grad (Celsius)	☐	der Regen	☐	die Wolke	☐	die Welt	☐

2. Wie heißen diese Wörter in Ihrer Muttersprache?

giftig	_____	herstellen	_____
gefährlich	_____	schneien	_____
nass	_____	liegen	_____
warm	_____	scheinen	_____
trocken	_____	drinnen	_____
niedrig	_____	draußen	_____

Wortschatz „Radio, Fernsehen"

(Hilfe finden Sie in der Wortliste auf Seite 15.)

1. Welche Antwort passt?

Satz	a	b	c	d	e	f	g	h
Antwort	6	_	_	_	_	_	_	_

a. Mein Fernsehapparat ist kaputt.	1. Nichts, ich sehe nie fern, ich habe gar keinen Fernsehapparat.
b. Was interessiert Sie im Fernsehen?	2. Tut mir leid, da kann man nichts mehr machen. Sie müssen ein neues kaufen.
c. Finden Sie, dass die Fernsehgebühren zu hoch sind?	3. Ja, eigentlich den ganzen Tag. Wissen Sie, ich bin Taxifahrer …
d. Können Sie mir das Radio bis zum Wochenende reparieren?	4. Vielleicht, wenn sie zu lange vor dem Apparat sitzen.
e. Hören Sie viel Radio?	5. Nicht besonders, aber manchmal sehe ich mir ein Spiel im Fernsehen an.
f. Sehen Sie immer die Nachrichten im Fernsehen?	6. Kann man ihn noch reparieren?
g. Interessieren Sie sich für Fussball?	7. Nein, die sind nicht sehr teuer, aber das Programm ist schrecklich!
h. Glauben Sie, dass Fernsehen für Kinder schlecht ist?	8. Leider nicht, abends bin ich nie zu Hause. Ich lese die Zeitung.

2. Kreuzen Sie an. Richtig oder Falsch ?

Sonderangebote im Techno-Markt

Elektrische Geräte für Haus und Garten sind jetzt besonders billig!

Unser Sommer-Hit: der Fernsehapparat für die Reise,

nur € 99.

Außerdem: die neuesten Filme auf DVD und VHS

Musik-CDs, Computerspiele, Zeitschriften – alles zu Sonderpreisen!

Besuchen Sie uns mit der ganzen Familie!

Öffnungszeiten: täglich von 9.00 – 21.00

	Richtig	Falsch
a. Der Technomarkt verkauft keine Geräte für die Küche.	☐	☒
b. Der Fernsehapparat ist nur für den Sommer.	☐	☐
c. Es gibt dort auch Videos.	☐	☐
d. Kinder dürfen den Technomarkt nicht besuchen.	☐	☐
e. Am Sonntag ist der Technomarkt geschlossen.	☐	☐
f. Im Moment gibt es im Technomarkt viele Dinge zu besonders niedrigen Preisen.	☐	☐

3. Was ist richtig? Kreuzen Sie an.

1 Hast du gestern „Doktor Schiwago" im Fernsehen gesehen? Heute kommt _c_ .
- [a] der 2. Satz
- [b] die 2. Seite
- [X] der 2. Teil

2 Willst du wirklich diese dumme Sendung sehen? Das ist doch wirklich nur ____!
- [a] Quatsch
- [b] eine Sehenswürdigkeit
- [c] ein Problem

3 Wieso sieht man nur Schwarz-Weiß auf dem Bildschirm? Dieser Film ist doch in ____!
- [a] Video
- [b] Farbe
- [c] DVD

4 Jetzt kommen die Nachrichten. Kannst du mal den Apparat ____?
- [a] abholen
- [b] anmachen
- [c] an sein

5 Benutzen Sie bitte die Treppe. Der Aufzug ist nicht ____.
- [a] zu Hause
- [b] in Betrieb
- [c] im Angebot

6 Wie lange ____ der Film?
- [a] kommt
- [b] bleibt
- [c] dauert

7 Wie findest du die Sendung? Sag doch mal deine ____!
- [a] Idee
- [b] Meinung
- [c] Vorstellung

8 Was passiert in dem Film? Kannst du mir ____ erzählen?
- [a] den Inhalt
- [b] die Meinung
- [c] die Nachricht

4. Welches Wort passt?

a. kommt b. kochen c. helfen d. Antworte e. gestritten f. Lust g. ansehen h. CDs
i. Abend j. geht

```
● ● ●            Information — Eingang              ⊜
  ⊘            📋         ↰      ↞      →      🖨
E-Mail(s) löschen   Ist Werbung   Antworten  An alle  Weiterleiten  Drucken

Hallo Emmy,

kommst Du morgen (1) _i_ zu mir? Wir können uns ein
Video (2) ____, wenn Du (3) ____ hast, oder wir (4) ____
zusammen etwas Gutes. Ich habe auch ein paar neue
Musik- (5) ____. Vielleicht (6) ____ Michaela auch, Du
weißt ja, sie hat sich mit Jens (7) ____. Ich glaube, es
(8) ____ ihr ziemlich schlecht; vielleicht können wir ihr
ein bisschen (9) ____.

Also, was ist? (10) ____ bitte schnell!

Nicole
```

Wortliste „Radio, Fernsehen"

1. Welche Wörter kennen Sie? Kreuzen Sie an.
Suchen Sie unbekannte Wörter im Wörterbuch.

das Fernsehen ☐	der Fernseh- ☐	das Gerät ☐	das Radio ☐
die Batterie ☐	apparat ☐	der Bildschirm ☐	die Farbe ☐
die Ansage ☐	die Durchsage ☐	die Einführung ☐	die Sendung ☐
die Gebühr ☐	der Inhalt ☐	die Kenntnis ☐	die Meinung ☐
der Kalender ☐	der Programmierer ☐	die Musik ☐	der Film ☐
die Nachricht ☐	die Notiz ☐	der Quatsch ☐	der erste Teil ☐
das Video ☐	die Zeitung ☐	die Zeitschrift ☐	

2. Wie heißen diese Verben in Ihrer Muttersprache?

anmachen	_____	dauern	_____
ausmachen	_____	drücken	_____
beginnen	_____	sich interessieren	_____
aufhören	_____	passieren	_____
in Betrieb sein	_____	aus sein	_____
außer Betrieb sein	_____	an sein	_____
zuhören	_____		

Tipps zum Hörverstehen

Können Sie das schon gut? Bitte kreuzen Sie an.

	Das kann ich gut.	Das kann ich noch nicht.
Ich kann eine Mitteilung verstehen, wenn es um Dinge des täglichen Lebens geht. Zum Beispiel: „Ich komme heute später, weil ich meine Tochter von der Schule abholen muss."		
Ich kann eine Durchsage verstehen, wenn deutlich und langsam gesprochen wird. Zum Beispiel: „Der Intercity 207 von Hamburg Altona hat Einfahrt auf Gleis 5."		
Ich kann eine einfache, kurze Mitteilung im Radio verstehen, wenn bekannte Wörter benutzt werden. Zum Beispiel: „Das Wetter für morgen."		
Ich kann eine einfache Wegbeschreibung verstehen. Zum Beispiel: „Gehen Sie bis zur Kreuzung und nehmen Sie dort die Straßenbahn Nummer 4 bis zum Hauptbahnhof."		
Ich kann ein Gespräch zwischen zwei Personen verstehen, wenn sie über bekannte Dinge sprechen. Zum Beispiel: Informationen über eine dritte Person.		

	Das kann ich gut.	Das kann ich noch nicht.
Ich kann eine konkrete Mitteilung vom Anrufbeantworter verstehen. Zum Beispiel: „Hier ist Angelika. Schade, dass du nicht da bist, ich rufe heute Abend noch mal an!"		
Ich kann die automatische Telefonansage verstehen, wenn es sich um eine bekannte Institution handelt. Zum Beispiel: „Hier ist die Telefonansage der Sprachenschule. Unser Büro ist von Montag bis Freitag von neun bis zwölf geöffnet."		

Die Hörsituation

1.
a. Sehen Sie die Zeichnung an.

b. Lesen Sie die Fragen.

1. Wohin gehen Susi und Jan zuerst?
2. Was ist für Susi das Wichtigste?
3. Was schlägt Jan nach dem Frühstück vor?
4. Wo ist die Fußgängerzone?
5. Wo wollen sie mittags ein Picknick machen?
6. Wann wollen sie ins Museum gehen?
7. Wann müssen die beiden nach Hause fahren?

c. Bilden Sie Hypothesen.

Wer sind die beiden Personen?   _____

Was wollen sie in der Stadt machen?   _____

Was sagen sie vielleicht?   _____

d. Hören Sie jetzt den Text und antworten Sie auf die Fragen.

Hören Sie den Text zweimal. Wenn Sie nicht alle Antworten gefunden haben, hören Sie den Text noch einmal.

1. Wohin gehen Susi und Jan zuerst?   _____
2. Was ist für Susi das Wichtigste?   _____
3. Was schlägt Jan nach dem Frühstück vor? _____
4. Wo ist die Fußgängerzone?   _____
5. Wo wollen sie mittags ein Picknick machen? _____
6. Wann wollen sie ins Museum gehen?   _____
7. Wann müssen die beiden nach Hause fahren? _____

2.

a. Sehen Sie die Zeichnung an.

Was ist passiert?

_____

Was machen die Leute?

_____

Was sagen sie vielleicht?

_____

03 **b. Hören Sie jetzt den Text und kreuzen Sie an:** Richtig **oder** Falsch **?**

Hören Sie den Text zweimal.

Wenn Sie nicht alle Antworten gefunden haben, hören Sie den Text noch einmal.

	Richtig	Falsch
a. Die Frau sagt, dass die Ampel rot war.	☐	☐
b. Der Mann hat die Ampel nicht gesehen.	☐	☐
c. Die Frau hat das andere Auto nicht gesehen.	☐	☐
d. Der Mann findet, dass nichts Schlimmes passiert ist.	☐	☐
e. Beide wollen sofort die Polizei rufen.	☐	☐
f. Der Mann kann sein Auto selbst reparieren.	☐	☐
g. Die Frau hat Angst, dass die Reparatur an ihrem Auto nicht so billig ist.	☐	☐

3.

Ein Reporter interviewt vier Personen. Der Reporter stellt eine Frage und jeder sagt seine Meinung.

a. Lesen Sie die Sätze a–d und antworten Sie auf die Fragen 1 und 2.

a. Frau A. will immer genau wissen, was ihre Kinder sich im Fernsehen ansehen.

b. Herr B. glaubt, dass Kinder sich beim Fernsehen doch nur langweilen.

c. Das Mädchen findet die Nachmittagssendungen für Kinder ziemlich gefährlich.

d. Der Junge sagt, dass Kinder nicht zu viel fernsehen sollen.

1. Über welches Thema sprechen die Leute? _____

2. Welche Frage hat der Reporter wahrscheinlich gestellt? _____

04

b. Hören Sie jetzt den Text 3 und kreuzen Sie an: Richtig **oder** Falsch ?

Hören Sie den Text zweimal. Wenn Sie nicht alle Antworten gefunden haben,
hören Sie den Text noch einmal.

	Richtig	Falsch
a. Frau A. will immer genau wissen, was ihre Kinder sich im Fernsehen ansehen.	☐	☐
b. Herr B. glaubt, dass Kinder sich beim Fernsehen doch nur langweilen.	☐	☐
c. Das Mädchen findet die Nachmittagssendungen für Kinder ziemlich gefährlich.	☐	☐
d. Der Junge sagt, dass Kinder nicht zu viel fernsehen sollen.	☐	☐

4.
a. Lesen Sie und antworten Sie auf die Fragen 1 und 2.

Wohin soll Herr Simon gehen?
☐ Zum Schalter 33.
☐ Zum Schalter 23.
☐ In die Halle C.

1. Wo kann man so eine Durchsage hören? _____
2. Welche Informationen gibt der Sprecher? _____

05

b. Hören Sie jetzt den Text und kreuzen Sie an. Hören Sie den Text zweimal.

Wenn Sie die Antwort nicht gefunden haben, hören Sie den Text noch einmal.

Wohin soll Herr Simon gehen?
a Zum Schalter 33.
b Zum Schalter 23.
c In die Halle C.

5.
a. Lesen Sie und antworten Sie auf die Fragen 1 und 2.

Wie ist das Wetter morgen in Süddeutschland?
☐ Am Nachmittag scheint die Sonne.
☐ Es regnet den ganzen Tag.
☐ Am Abend kommt ein Gewitter.

1. Wo kann man so eine Mitteilung hören? _____
2. Welche Informationen gibt der Sprecher wahrscheinlich? _____

b. Hören Sie jetzt den Text und kreuzen Sie an. Hören Sie den Text zweimal.

Wenn Sie die Antwort nicht gefunden haben, hören Sie den Text noch einmal.

Wie ist das Wetter morgen in Süddeutschland?

a Am Nachmittag scheint die Sonne.

b Es regnet den ganzen Tag.

c Am Abend kommt ein Gewitter.

Globales Hörverstehen

Beispiel

Im folgenden Dialog können Sie wahrscheinlich nicht alle Wörter verstehen, aber Sie können die Fragen beantworten.

Fragen: 1. Kennen die beiden Personen sich schon lange?

2. Warum ruft die Frau an?

Antworten: 1. Die beiden sind alte Freunde.

2. Sie möchte sich mit dem Mann treffen.

Hören Sie den Text zweimal. Wenn Sie die Antworten nicht finden, hören Sie den Text noch einmal und konzentrieren Sie sich nur auf die Fragen.

a. Dialog 1

Im folgenden Dialog können Sie wahrscheinlich nicht alle Wörter verstehen, aber Sie können die Fragen beantworten.

Fragen: 1. Kennen die Personen sich schon?

2. Ist die Frau alt?

Antworten: 1. _____

2. _____

Hören Sie den Text 1 zweimal. Wenn Sie die Antworten nicht finden, hören Sie den Text noch einmal und konzentrieren Sie sich nur auf die Fragen.

b. Dialog 2

Im folgenden Dialog können Sie wahrscheinlich nicht alle Wörter verstehen, aber Sie können die Fragen beantworten.

Fragen: 1. Was will der Mann?

2. Findet die Frau den Vorschlag gut?

Antworten: 1. _____

 2. _____

Hören Sie den Text 2 zweimal. Wenn Sie die Antworten nicht finden, hören Sie den Text noch einmal und konzentrieren Sie sich nur auf die Fragen.

c. Dialog 3

Im folgenden Dialog können Sie wahrscheinlich nicht alle Wörter verstehen, aber Sie können die Fragen beantworten.

Fragen: 1. Kennen sich die beiden Personen gut?

                2. Wie findet das Mädchen seinen Vorschlag?

Antworten: 1. _____

                2. _____

 Hören Sie den Text 3 zweimal. Wenn Sie die Antworten nicht finden, hören Sie den Text noch einmal und konzentrieren Sie sich nur auf die Fragen.

d. Dialog 4

Im folgenden Dialog können Sie wahrscheinlich nicht alle Wörter verstehen, aber Sie können die Fragen beantworten.

Fragen: 1. Ist die Frau zufrieden?

                2. Finden die beiden Personen eine Lösung?

Antworten: 1. _____

                2. _____

 Hören Sie den Text 4 zweimal. Wenn Sie die Antworten nicht finden, hören Sie den Text noch einmal und konzentrieren Sie sich nur auf die Fragen.

Selektives Hörverstehen

Beispiel

 Im folgenden Hörtext sollen Sie eine ganz bestimmte Information verstehen. Lesen Sie zuerst die Aufgabe, hören Sie dann den Text zweimal und notieren Sie die Antwort. Wenn Sie die Lösung nicht finden, hören Sie den Text noch einmal.

Abfahrt:	8.33 Uhr
Ankunft:	12.58 Uhr

a. Hörtext 1

 Im folgenden Hörtext sollen Sie eine ganz bestimmte Information verstehen. Lesen Sie zuerst die Aufgabe, hören Sie dann den Text 1 zweimal und notieren Sie die Antwort. Wenn Sie die Lösung nicht finden, hören Sie den Text noch einmal.

Marke: Huntia
Preis: € 150,00
Telefonnummer: _____

b. Hörtext 2

Im folgenden Hörtext sollen Sie eine ganz bestimmte Infor-mation verstehen. Lesen Sie zuerst die Aufgabe, hören Sie dann den Text 2 zweimal und notieren Sie die Antwort. Wenn Sie die Lösung nicht finden, hören Sie den Text noch einmal.

Treffen: nicht am Samstag-
                 nachmittag
Wann: _____

c. Hörtext 3

Im folgenden Hörtext sollen Sie eine ganz bestimmte Infor-mation verstehen. Lesen Sie zuerst die Aufgabe, hören Sie dann den Text 3 zweimal und notieren Sie die Antwort. Wenn Sie die Lösung nicht finden, hören Sie den Text noch einmal.

100 g französischer Käse: € 1,80
200 g Wurst: _____
1 kg Tomaten: € 0,90

d. Hörtext 4

Im folgenden Hörtext sollen Sie eine ganz bestimmte Information verstehen. Lesen Sie zuerst die Aufgabe, hören Sie dann den Text 4 zweimal und kreuzen Sie an: Was ist richtig? a, b oder c? Wenn Sie die Lösung nicht finden, hören Sie den Text noch einmal.

Wie lange sind die Musiker schon zusammen?

a Seit vier Jahren

b Seit drei Wochen

c Seit drei Jahren

e. Hörtext 5

Im folgenden Hörtext sollen Sie eine ganz bestimmte Information verstehen. Lesen Sie zuerst die Aufgabe, hören Sie dann den Text 5 zweimal und kreuzen Sie an: Was ist richtig? a, b oder c? Wenn Sie die Lösung nicht finden, hören Sie den Text noch einmal.

Wie ist die Telefonnummer?

a 38 84 68 8

b 38 86 48 8

c 88 36 48 8

f. Hörtext 6

Im folgenden Hörtext sollen Sie drei Informationen verstehen. Lesen Sie zuerst die Aufgabe, hören Sie dann den Text 6 zweimal und notieren Sie die Antwort. Wenn Sie die Lösung nicht finden, hören Sie den Text noch einmal.

Was macht der Mann in dieser Woche am Nachmittag?

1. Am Dienstag: _____

2. Am Mittwoch: _____

3. Am Donnerstag: _____

Übungen zum Hörverstehen

Hörverstehen Teil 1: Telefonansagen

Sie hören Ansagen am Telefon. Zu jedem Text gibt es eine Aufgabe. Hören Sie jeden Text zweimal und ergänzen Sie die Telefonnotizen.

 Beispiel: Reparaturwerkstatt

> Wann anrufen?
> morgen Vormittag
> Wen? Herrn Braun

 1. Dr. Herwig

> Sprechstunde:
> Mo, Di, Do 9.30–13.00
> Telefonnummer: 160 _____

 2. Katrin

> Kommt heute nicht.
> Wann? _____

 3. Klaus

> Eintrittskarte:
> Wo? _____

 4. Telefonauskunft

> Vorwahl: 0421
> Telefonnummer: _____

5. Sylvia

> Ort: Naturkundemuseum
> Stock, Raum: _____

 6. Firma Akustil

> Anruf von: Frau Schneider
> Den ganzen Tag arbeiten:
> am _____

 7. Firma Telstart

> Nummer 1: _____
> Nummer 2: Informationen

 8. Katrin

> Hund: in den Garten lassen
> Schlüssel: Wo? _____

 9. Telefonansage

> Neue Adresse: Lindenerstraße 12
> Neue Telefonnummer: _____

 10. Frau Schmidt

> Paket angekommen
> Abholen: morgen bis _____

Hörverstehen Teil 2: Radioansagen

Sie hören Informationen aus dem Radio. Lesen Sie zuerst die Aufgabe. Dann hören Sie den Text einmal und kreuzen an: a, b oder c?

 Beispiel

Welche Sendung kann man um 15.00 Uhr hören?

[a] Musik aus Südamerika
[X] Zu Gast im Studio
[c] Nachrichten

 1. Wie ist das Wetter morgen in den Bergen? Kreuzen Sie an.

[a] Die Sonne scheint.
[b] Es regnet.
[c] Es schneit.

 2. Wer hat heute Geburtstag? Kreuzen Sie an.

[a] der Zuhörer
[b] J. W. von Goethe
[c] die junge Frau

 3. Welchen Preis bekommt der erste Gewinner? Kreuzen Sie an.

[a] „Kabale und Liebe" von F. Schiller
[b] eine Musik-CD
[c] einen Theaterbesuch

 4. Welches Problem gibt es für die Autofahrer in der Nähe von Wolfsburg? Kreuzen Sie an.

[a] Nebel
[b] Verkehr
[c] Wartezeit

 5. Wer hat heute Geburtstag? Kreuzen Sie an.

[a] Michaela
[b] Martin
[c] Herr Balduin

 6. Wie kommt man zum Stadtfest in Muttlingen? Kreuzen Sie an.

[a] zu Fuß
[b] mit dem Auto oder dem Fahrrad
[c] mit der S-Bahn

 7. Was braucht man für den russischen Salat? Kreuzen Sie an.

[a] Salat
[b] altes Brot
[c] Kartoffeln, Eier, Gemüse

 8. Wann kann man die nächsten Nachrichten hören? Kreuzen Sie an.

[a] um 10.30
[b] um 12.15
[c] um 12.00

 9. Was soll man an Radio Bremen schicken, wenn man mitmachen will? Kreuzen Sie an.

[a] Namen und Adresse
[b] Telefonnummer
[c] E-Mail-Adresse

 10. Was ist Frau Muthesius von Beruf? Kreuzen Sie an.

[a] Lehrerin
[b] Politikerin
[c] Journalistin

Hörverstehen Teil 3: Gespräch

1.

Sie hören ein Gespräch. Zu diesem Gespräch gibt es fünf Angaben. Ordnen Sie zu und notieren Sie den Buchstaben. Hören Sie den Text zweimal.
Ein Tipp: Lesen Sie zuerst die Tabelle. Die Personen im Text sprechen zuerst über die Schuhe und dann über den Pullover, dann über die U-Bahnkarte, dann über das Handy … Buch … CD. Schreiben Sie beim Hören zuerst die Wörter in die Tabelle. Und notieren Sie erst dann die Buchstaben.

Wo findet man diese Dinge?

	Beispiel	1	2	3	4	5
Objekt	Schuhe	Pullover	U-Bahn-Fahr-karte	Handy	Buch	CD
Lösung	Im Flur (g)					

a. Auf dem Tisch in der Küche

b. Auf dem Kühlschrank

c. Auf dem Schrank

d. Neben dem Fernsehapparat

e. Auf dem Tisch im Wohnzimmer

f. Unter dem Tisch in der Küche

g. Im Flur

h. Neben dem Telefon

2.

Sie hören ein Gespräch. Zu diesem Gespräch gibt es fünf Angaben. Ordnen Sie zu und notieren Sie den Buchstaben. Hören Sie den Text zweimal.

Was macht Lucy an diesen Tagen?

	1	2	3	4	5
Tage	Mittwoch	Donnerstag	Freitag	Samstag	Sonntag
Lösung					

a. Sie kocht für ihre Freundinnen.

b. Sie ist im Fitness-Club.

c. Sie spielt Golf.

d. Sie ist frei.

e. Sie geht einkaufen.

f. Sie geht mit den Kindern Tennis spielen.

g. Sie geht zum Schwimmen.

3.

43

Sie hören ein Gespräch. Zu diesem Gespräch gibt es fünf Angaben. Ordnen Sie zu und notieren Sie den Buchstaben. Hören Sie den Text zweimal.

Wer macht was?

	1	2	3	4	5
Personen	Karl	Frieda	Hella	Martin	Michael
Lösung					

a. kocht Salzkartoffeln.

b. lädt die Gäste ein.

c. bringt Eis mit.

d. kauft eine Flasche Wein.

e. macht einen Braten.

f. kümmert sich um die Getränke.

g. macht die Salate.

Der Test „Hören" für die Niveaustufe A2 dauert ca. 20 Minuten und hat drei Teile (Ansagen, Informationen aus dem Radio, ein Gespräch). Eine „echte Prüfung" finden Sie in Modul 5: Simulation Goethe-Zertifikat A2 / Start Deutsch 2 auf Seite 103.

Modul 2: Lesen

Übungen zum Wortschatz

Wortschatz „essen und trinken"
(Hilfe finden Sie in der Wortliste auf Seite 30.)

1. Wo gibt es das? Welche Wörter passen zum Thema „Essen und Trinken"?

Zu Hause	Im Restaurant	Auf der Straße
der Besuch	der Kellner/die Kellnerin	das Geschäft

2. Kreuzen Sie an: Richtig oder Falsch ?

> ## GOURMET-RESTAURANT „CHEZ JEANNE"
> **Neueröffnung am Samstag, 15. November, 21.00 Uhr**
> Wir freuen uns,
> *Herrn Dr. Munter und Ehefrau*
> am Samstag, 15.11. um 21.00 Uhr zur Neueröffnung des
> Gourmet-Restaurants „Chez Jeanne" einzuladen.
> **Programm:**
> 21.00 Begrüßung der Gäste
> 21.30 Chefkoch André lädt zum Abendessen ein
> 22.30 Kabarett-Show „Nouvelle Cuisine"
> 23.30 René und seine Band bitten zum Tanz
> **Bitte melden Sie Ihren Besuch an.**
> **Tel: 030 43 56 77**

	Richtig	Falsch
a. Das Restaurant feiert am 15. November ein Fest.	☒	☐
b. Das Restaurant „Chez Jeanne" hat es früher auch schon gegeben.	☐	☐
c. Dr. Munter soll die Gäste begrüßen.	☐	☐
d. Herr und Frau Munter sind zum Essen eingeladen.	☐	☐
e. Nach dem Essen wird ein Film gezeigt.	☐	☐
f. Man kann auch tanzen.	☐	☐
g. Wenn Herr Munter die Einladung annehmen will, soll er im Restaurant anrufen.	☐	☐

3. In den Sätzen a–l sind zwei Dialoge: „Zu Hause" und „Im Restaurant".

Schreiben Sie beide Dialoge zuerst in Ihr Heft. Ergänzen Sie dann die Buchstaben.

[a] Gar nichts, ich hatte keine Zeit zum Kochen. Wenn du was essen willst, musst du dich selbst darum kümmern.

[b] Was ist denn Ihr Lieblingsessen?

[c] Wir haben in dieser Woche schon dreimal Pizza gegessen, ich kann sie nicht mehr sehen!

[X] ~~Na, wie gefällt es Ihnen hier? Ich finde die Atmosphäre so angenehm. Wissen Sie schon, was Sie essen möchten?~~

[e] Ich esse am liebsten Nudeln, aber die gibt es hier wohl nicht.

[X] ~~Was gibt's denn heute zu essen?~~

[g] Warum hast du nicht telefoniert? Dann hätte ich doch noch was mitbringen können. Soll ich den Pizza-Service anrufen?

[h] Komm, wir gehen in die Kneipe an der Ecke, da gibt es Kartoffelsalat und Würstchen für 4 Euro 50, inklusive ein Glas Bier!

[i] Ja gut, aber ich will meinen Fisch gebraten oder gekocht essen!

[j] Also, die Speisekarte sieht sehr interessant aus. Ich weiß gar nicht, was ich wählen soll.

[k] Stimmt, ich eigentlich auch nicht. Wollen wir irgendwo essen gehen? Es darf aber nicht so teuer sein.

[l] Nein, in der japanischen Küche gibt es nicht so viele Nudelgerichte. Aber vielleicht essen Sie auch gern Fisch? Der ist hier sehr gut.

Zu Hause

1 [f]
2 [ ]
3 [ ]
4 [ ]
5 [ ]
6 [ ]

Im Restaurant

1 [d]
2 [ ]
3 [ ]
4 [ ]
5 [ ]
6 [ ]

4. Was ist richtig? Kreuzen Sie an.

1 Herr Ober, wie soll ich denn die Suppe essen? Bringen Sie mir bitte _a_.

[X] einen Löffel
[c] ein Messer
[c] eine Tasse

2 Hallo Gabi, wartest du auf jemanden?
– Ja, ich bin hier ____.

[a] allein
[b] verabredet
[c] zu spät

3 Ich finde, wir können Theodor zur Hochzeit ein paar Teller schenken. – Ja, im Kaufhaus gibt es jetzt sehr preiswerte Angebote für ____.

[a] Gabeln
[b] Geschirr
[c] Gerichte

4 Peter hat gestern einen Unfall gehabt. Die Polizei sagt, er war ____.

[a] sauer
[b] pensioniert
[c] betrunken

5 Die Rechnung ist ziemlich hoch; findest du, dass wir auch noch ____ geben müssen?
- a Geld
- b Trinkgeld
- c Preise

6 Es ist schrecklich. Bei uns ist ____ immer schon am ersten Tag voll.
- a die Mülltonne
- b der Wagen
- c die Portion

7 Herr Ober, ich will mich ____: Die Suppe war kalt und das Fleisch ist viel zu fett.
- a erinnern
- b beschweren
- c vorstellen

8 Ich will nicht immer die schmutzigen Teller abwaschen, deshalb habe ich jetzt ____ gekauft.
- a eine Waschmaschine
- b einen Herd
- c eine Spülmaschine

5. Welche Antwort passt?

Frage	a	b	c	d	e	f	g	h
Antwort	6	_	_	_	_	_	_	_

a. Wie schmeckt denn der Fisch?	1. Oh ja, wir haben schon so lange nicht mehr gefeiert!
b. Du musst den Müll noch wegbringen!	2. Nein, vielleicht lieber ein bisschen Käse.
c. An meinem Geburtstag möchte ich ein richtiges Fest haben!	3. Tut mir leid, der ist seit zwei Wochen außer Betrieb.
d. Wer macht bei euch eigentlich die Arbeit im Haushalt?	4. Wieso ich? Ich habe doch schon gespült.
e. Das Hauptgericht war ja sehr gut, möchtest du jetzt noch ein Eis?	5. Nein, wir haben ja noch gar keine Speisekarte bekommen!
f. Wir können vielleicht am Automaten etwas zu trinken bekommen.	6. Sehr gut, und wie ist dein Rinderbraten?
g. Haben Sie schon gewählt?	7. Leider geht das nicht, ich habe schon eine Verabredung.
h. Willst du am Samstagabend zu mir zum Essen kommen?	8. Carlos kocht meistens, aber alles andere mache ich.

6. Welches Wort passt?

a. fliegen b. Spaß c. gekauft d. verabredet e. treffen f. Schluss g. aufräumen h. gegangen
i. Müll j. Nachbarin k. später l. Geschäfte m. ~~Schade~~ n. schlafen o. nett p. gefeiert
q. waren r. Kneipe s. Schokoladenkuchen t. Eltern u. laut v. Bett

Liebe Jutta,

*Du glaubst nicht, wie toll mein Geburtstag war! (1) __m__, dass Du nicht dabei warst.
Von meinen (2) ____ habe ich ein Flugticket nach Madrid bekommen, ich will im April
(3) ____, kommst Du mit?*

*Am Nachmittag war ich mit meiner Schwester in meinem Lieblingscafé (4) ____, wir
haben (5) ____ gegessen und furchtbar viel erzählt und gelacht.*

*Natürlich haben wir uns dann auch noch ein paar (6) ____ und Boutiquen angesehen;
ich habe nichts (7) ____, aber wir haben sehr viel (8) ____ gehabt.*

*Na ja, und am Abend haben wir dann ein richtiges Fest (9) ____. Stell Dir vor, es
(10) ____ 18 Leute in meinem kleinen Zimmer! Alle haben etwas zum Trinken oder
zum Essen mitgebracht, mein Zimmer sah aus wie eine (11) ____.*

*Wir haben alle meine CDs gehört und getanzt, es war wirklich wunderbar! Vielleicht
waren wir ja ein bisschen (12) ____, um Mitternacht ist dann plötzlich meine (13) ____
gekommen und hat gesagt, dass wir leise sein sollen, weil sie (14) ____ möchte.*

*Wir sind dann noch alle in den Park (15) ____ und haben da gefeiert, ich bin erst um
drei Uhr ins (16) ____ gegangen.*

*Heute Morgen war ich natürlich ziemlich müde und mein Zimmer sieht schlimm aus,
überall liegt (17) ____ herum, ich muss unbedingt (18) ____, aber ich habe keine Lust.
Vielleicht mache ich das (19) ____.*

*Weißt Du, Markus war auch bei der Party und er ist auch bis zum (20) ____ geblieben,
ich finde ihn richtig (21) ____. Ich glaube, ich bin ein bisschen verliebt.*

Ich muss unbedingt mit Dir sprechen, wann können wir uns (22) ____?

Schreib mir, wann Du kommst, ich hole Dich dann ab.

Bis ganz bald!
Deine Carola

Wortliste „essen und trinken"

1. Welche Wörter kennen Sie? Kreuzen Sie an.
Suchen Sie die unbekannten Wörter im Wörterbuch.

die Bäckerei	☐	der Alkohol	☐	der Kiosk	☐	der Supermarkt	☐
der Müll	☐	die Mülltonne	☐	der Markt	☐	die Kneipe	☐
das Café	☐	das Geschäft	☐	der Besuch	☐	der Gast	☐
das Gericht	☐	das Fest	☐	der Haushalt	☐	das Lieblingsessen	☐
der Herd	☐	die Tüte	☐	die Dose	☐	die Portion	☐
die Packung	☐	der Teller	☐	die Tasse	☐	der Topf	☐
die Gabel	☐	das Messer	☐	der Löffel	☐	das Geschirr	☐
die Spülmaschine	☐	die Nudel	☐	der Käse	☐	das Rindfleisch	☐
das Schweine-fleisch	☐	die Suppe	☐	die Soße	☐	der Tisch	☐
		der Kellner	☐	die Kellnerin	☐	der Ober	☐
das Trinkgeld	☐	die Speisekarte	☐				

2. Wie heißen diese Wörter in Ihrer Muttersprache?

spülen	_____	süß	_____
feiern	_____	sauer	_____
schmecken	_____	preiswert	_____
aufmachen	_____	fett	_____
auf sein	_____	heiß	_____
sich beschweren	_____	auf keinen Fall	_____
betrunken sein	_____	berühmt	_____
verabredet sein	_____	gebraten	_____

Wortschatz „Arbeit und Beruf"

1. Schreiben Sie das Gegenteil.

reich	arm	besetzt	_____
niedrig	_____	schnell	_____
dick	_____	sauber	_____
teuer	_____	kompliziert	_____
froh	_____	lang	_____
schlecht	_____	viel	_____
alt	_____	netto	_____

2. Kreuzen Sie an: Richtig oder Falsch ?

```
● ● ●                    Information — Eingang                      ⊖
  ⊘              ⬆              ↩          ↞          ➡          🖨
E-Mail(s) löschen   Ist Werbung    Antworten   An alle   Weiterleiten   Drucken
```

Von: jocheng@gmt.com
An: alice33@freenet.de

Hallo Alice,
hast Du die Stellenangebote unter www.jobboerse.kassel.de
heute schon gelesen? Da sind gute Sachen drin: Die Stadt
Kassel sucht Studenten für eine Sportfreizeit mit Jugend-
lichen. Das ist doch etwas für uns, ich finde, da bewerben
wir uns. Was meinst Du? Man kann sich per E-Mail bewerben, bis zum 30. Mai.
Und dann gibt es auch noch Kellnerjobs in verschiedenen
Hotels, da kann man zwar mehr verdienen, aber die Arbeit ist
natürlich nicht so lustig. Rufst Du mich an, wenn Du die Anzeigen gelesen hast?
Ciao, Jochen

	Richtig	Falsch
a. Jochen hat die Angebote in der Zeitung gefunden.	☐	☒
b. Jochen möchte gern mit Jungen und Mädchen Sport machen.	☐	☐
c. Die Bewerbung für die Sportfreizeit muss bis Ende Mai bei der Stadt Kassel sein.	☐	☐
d. Der Lohn in der Sportfreizeit ist höher als im Hotel.	☐	☐
e. In den Hotels kann man im Restaurant arbeiten.	☐	☐
f. Jochen möchte, dass Alice ihm eine Mail schickt.	☐	☐

3. Schreiben Sie den Text richtig.

Streichen Sie die falschen Wörter und korrigieren Sie.

a. Viele Studenten möchten ~~am frühen Morgen~~ gern ein bisschen Geld verdienen.	*in den Semesterferien*
b. Es ist aber nicht leicht, das richtige Spiel zu finden.	
c. Manchmal stehen in der Zeitung gute Stellenversuche.	
d. Auch im Telefon gibt es viele Webadressen mit Arbeitsangeboten.	
e. Viele Studenten wollen auf dem Land arbeiten, weil sie ihre Sprachkenntnisse verbessern möchten.	
f. Natürlich schläft jeder davon, in einer internationalen Organisation zu arbeiten.	
g. Jeder möchte möglichst viel Job verdienen.	
h. Und außerdem möchte man auch noch ein bisschen Arbeits-zeit haben.	

4. In den Sätzen a–l sind zwei Dialoge: „Auf der Straße" und „Im Personalbüro".

Schreiben Sie beide Dialoge zuerst in Ihr Heft. Ergänzen Sie dann die Buchstaben.

a̲ Ja natürlich, das sieht auch alles sehr gut aus. Allerdings haben Sie wohl noch gar keine Berufserfahrung?

b̲ Wie lange kannst du da arbeiten?

c̲ Guten Tag, Herr Stein, meine Bewerbung haben Sie schon gesehen?

d̲ Ja schon, aber der ist nicht so toll. Ich sitze in einer Mitfahrzentrale am Telefon. Es ist nur ein befristeter Arbeitsplatz.

e̲ Doch, ich habe zweimal als Praktikantin im Export gearbeitet, die Chefin war auch sehr zufrieden mit mir.

☒ ~~Hallo Carola, wie geht's dir denn? Ich habe gehört, du hast jetzt einen Job?~~

g̲ In Englisch bin ich perfekt, da habe ich alle Prüfungen mit „sehr gut" bestanden. Und jetzt lerne ich noch Spanisch.

h̲ 850 Euro netto.

☒ ~~Guten Tag, Frau Beyreiss, bitte nehmen Sie Platz.~~

i̲ Was bekommst du denn im Monat?

k̲ Schön, das ist wenigstens eine kleine Erfahrung. Wie sind denn Ihre Fremdsprachenkenntnisse?

l̲ Wahrscheinlich nur zwei Monate, und ich verdiene da auch nicht genug.

Auf der Straße

1 f̲

2 ☐

3 ☐

4 ☐

5 ☐

6 ☐

Im Personalbüro

1 i̲

2 ☐

3 ☐

4 ☐

5 ☐

6 ☐

5. Was ist richtig? Kreuzen Sie an.

1 Herr Müller hat früher bei der Post gearbeitet, jetzt ist er ̲a̲.

  ☒ pensioniert

  b̲ allein

  c̲ fleißig

2 Frau Huber ist ____ bei einer Kreditbank.

  a̲ selbstständig

  b̲ netto

  c̲ Angestellte

3 Das Dokument ist auf Spanisch geschrieben, können Sie das ____?

  a̲ schreiben

  b̲ übersetzen

  c̲ ändern

4 Ich habe mich bei 50 Firmen beworben, trotzdem bin ich immer noch ____.

  a̲ allein

  b̲ arbeitslos

  c̲ fertig

5 Gestern haben 200 Arbeiter ____ bekommen.
- [a] die Kündigung
- [b] die Bewerbung
- [c] die Kontrolle

6 In dieser Fabrik werden Kühl-maschinen ____.
- [a] hergestellt
- [b] besichtigt
- [c] vereinbart

7 Ich muss nur 40 Stunden pro Woche arbeiten, das steht in ____.
- [a] meiner Bewerbung
- [b] meinem Vertrag
- [c] meinem Pass

8 Die Ausbildung ist sehr gut, die ____ dauert drei Jahre.
- [a] Arbeitszeit
- [b] Lehre
- [c] Qualität

9 Die Arbeit finde ich sehr interessant, aber der Lohn ist wirklich ____.
- [a] zu niedrig
- [b] zu billig
- [c] zu dünn

10 In unserem Büro arbeiten wir auch am Samstagvormittag, das haben wir mit dem Chef ____.
- [a] versprochen
- [b] vereinbart
- [c] verlängert

Wortliste „Arbeit und Beruf"

1. Welche Wörter kennen Sie? Kreuzen Sie an.
Suchen Sie die unbekannten Wörter im Wörterbuch.

der/die Angestellte ☐	die Anzeige ☐	die Ausbildung ☐	die Angst ☐
der Ärger ☐	die Bewerbung ☐	die Beratung ☐	der/die Chef/-in ☐
die Erfahrung ☐	die Kenntnisse ☐	die Lehre ☐	der Lohn ☐
der/die Kollege/-in ☐	die Kündigung ☐	der Vertrag ☐	die Prüfung ☐
die Freizeit ☐	der Job ☐	die Qualität ☐	die Firma ☐
die Fabrik ☐	das Büro ☐	die Industrie ☐	die Werkstatt ☐
das Werkzeug ☐	der Export ☐	die Sozialhilfe ☐	die Steuern ☐
die Kontrolle ☐			

2. Wie heißen diese Verben in Ihrer Muttersprache?

herstellen	_____	ändern	_____
bestehen	_____	sich ärgern	_____
frei haben	_____	selbstständig sein	_____
teilnehmen	_____	pensioniert sein	_____
sparen	_____	übersetzen	_____
verdienen	_____	sich ausruhen	_____
vereinbaren	_____	Spaß machen	_____
versprechen	_____	sich setzen	_____

Wortschatz „Freizeit, Unterhaltung"

1. Was machen Sie in der Freizeit?

a.   b.   c.   d.   e.   f.

g.   h.   i.   j.   k.   l.

a. Ich gehe oft ins Theater.   e. _____   i. _____

b. _____   f. _____   j. _____

c. _____   g. _____   k. _____

d. _____   h. _____   l. _____

2. Was sagen diese Personen?

Was machen Sie in Ihrer Freizeit?

Julia: Ich habe nicht viel Freizeit, weil ich Studentin bin und immer viel lernen muss. Außerdem arbeite ich abends als Kellnerin in einer Kneipe. Wenn ich am Wochenende frei habe, treffe ich mich mit meinen Freundinnen und wir gehen ins Stadtzentrum. Wir haben alle nur wenig Geld, aber wir interessieren uns für Mode und probieren gern alle möglichen Kleider an. Wir nennen das „Shoppen" und manchmal kaufe ich auch ein T-Shirt oder eine Hose, aber am wichtigsten ist das Zusammensein mit meinen Freundinnen, wir haben immer sehr viel Spaß beim „Shoppen".

Philipp: Ich habe ja eigentlich sehr viel Zeit, schließlich bin ich jetzt seit fünf Monaten arbeitslos. Aber für Theater und Kino braucht man Geld, das ist mir zu teuer. Ich wandere sehr gern, am liebsten gehe ich in die Berge. Meistens bin ich da allein und kann in Ruhe über meine Situation nachdenken.

Gertrud: Ich habe eigentlich kein richtiges Hobby. Meine Arbeit ist sehr anstrengend, ich unterrichte Englisch am Gymnasium, d.h. ich muss am Nachmittag ein bisschen schlafen und abends arbeite ich immer für den nächsten Tag. Wenn ich danach nicht zu müde bin, sehe ich gern noch einen Film im Fernsehen oder eine DVD. Meine Tochter kauft dauernd die neuesten Filme, da sitzen wir dann manchmal zusammen vor dem Bildschirm. Dabei kann ich mich gut ausruhen.

Jan: Ich bin ein Sportfanatiker! Ich möchte mich in jeder Situation fit und gesund fühlen. Als selbstständiger Programmierer kann ich mir meine Zeit einteilen. Ich treffe mich abends mit ein paar Kollegen und dann gehen wir in die Sporthalle und spielen Basketball. Danach gibt's auch noch ein Bierchen, aber das Wichtigste ist, dass ich jeden Tag Sport machen kann.

Name	Arbeit?	Hobby?	Wo?	Mit wem?

3. Welcher Satz passt?

Frage	a	b	c	d	e	f	g	h
Antwort	7	–	–	–	–	–	–	–

a. Ich gehe meistens schon früh schlafen,	1. weil ich möglichst viel von der Welt sehen will.
b. Ich möchte gern eine Katze haben, aber das geht nicht,	2. müssen Sie unbedingt schon Anfang März buchen.
c. Am liebsten möchte ich als Reiseführerin arbeiten,	3. weil wir so gern wandern.
d. Wenn ich abends nicht zu müde bin,	4. bekommen wir eine Ermäßigung auf den Fahrpreis.
e. Wenn Sie an der Reise im April teilnehmen wollen,	5. treffe ich meine Freunde in der Kneipe an der Ecke.
f. Ich kann dir das Buch nur leihen,	6. weil meine Mutter keine Tiere im Haus haben will.
g. Am Wochenende machen wir oft Ausflüge in die Berge,	7. weil ich morgens um sechs aufstehen muss.
h. Wenn wir in der Gruppe reisen,	8. wenn du versprichst, dass ich es morgen zurückbekomme.

4. Was ist richtig? Kreuzen Sie an.

1 Wenn Sie den Zug um 8.20 Uhr nehmen, haben Sie in Mainz 30 Minuten _b_.
   a Anschluss
   ☒ Aufenthalt
   c Ausflug

2 Ich liebe Ruhe und Bäume, ich gehe gern ____ spazieren.
   a im Zentrum
   b auf dem Sportplatz
   c im Wald

3 Im Kino gibt es für Studenten nachmittags ____.
   a eine Ermäßigung
   b eine Sendung
   c eine Sehenswürdigkeit

4 In der Zeitung steht, dass am Sonntag ein Mittagskonzert ____.
   a gibt
   b stattfindet
   c spielt

5 Ich sehe nicht oft fern, ich finde die meisten ____ langweilig.

- [a] Sendungen
- [b] Bilder
- [c] Zeitschriften

6 In meiner Wohnung ist es nachts sehr laut, weil unten ____ eine Disko ist.

- [a] im 4. Stock
- [b] im Keller
- [c] auf dem Dach

7 Mein Mann will sich am Abend nur ausruhen, aber ich möchte etwas ____!

- [a] unternehmen
- [b] interessieren
- [c] teilnehmen

8 Wenn du Tennis spielen möchtest, kannst du ja in ____ gehen.

- [a] ein Lokal
- [b] einen Verein
- [c] eine Firma

5. Kreuzen Sie an: Richtig oder Falsch ?

⬤⬤⬤　　Information — Eingang

🚫　　　🗑　　　←　　⇐　　→　　　🖨
E-Mail(s) löschen　Ist Werbung　Antworten　An alle　Weiterleiten　Drucken

Von: sallyjen@aol.com

An: bine@libero.de

Hallo Sabinchen,

ich glaube, jetzt können wir unseren Ausflug doch noch machen. Hurra!!! Klaus und seine beiden Freunde kommen mit, dann können wir mit dem Gruppenticket fahren (nur € 7,80 für uns alle!) und an diesem Sonntag sind alle Besichtigungen in Lübeck kostenlos. Was sagst Du nun??
Also Sonntagmorgen 6.10 Uhr an der Haltestelle, o.k.?
Ruf mich auf dem Handy an und vergiss die Regenjacke nicht!
Küsschen von Sally

	Richtig	Falsch
a. Sabine und Sally wollen nach Lübeck fahren.	☒	☐
b. Die Reise nach Lübeck soll das ganze Wochenende dauern.	☐	☐
c. Für 5 Personen gibt es eine Ermäßigung auf den Fahrpreis.	☐	☐
d. Im Museum in Lübeck bezahlt man an diesem Sonntag nur sehr wenig.	☐	☐
e. Die Freundinnen treffen sich am Bahnhof.	☐	☐
f. Sally ist sicher, dass am Sonntag die Sonne scheint.	☐	☐

Wortliste „Freizeit, Unterhaltung"

1. Welche Wörter kennen Sie? Kreuzen Sie an.
Suchen Sie die unbekannten Wörter im Wörterbuch.

der Aufenthalt	☐	der Ausflug	☐	der Berg	☐	der Wald	☐
der Weg	☐	das Meer	☐	der See	☐	die Welt	☐
das Dorf	☐	die Kirche	☐	der Dom	☐	die Sehens-	
die Kneipe	☐	das Lokal	☐	das Café	☐	würdigkeit	☐
das Theater	☐	die Oper	☐	das Kino	☐	die Disko	☐
der Keller	☐	das Schwimmbad	☐	die Sporthalle	☐	der Verein	☐
die Gruppe	☐	der Fernseh-		das Radio	☐	das Video	☐
die DVD	☐	apparat	☐	die Zeitschrift	☐	das Programm	☐
die Sendung	☐	das Tier	☐	der Hund	☐	die Katze	☐
der Vogel	☐						

2. Wie heißen diese Verben in Ihrer Muttersprache?

träumen	_____	buchen	_____
sich beeilen	_____	frei haben	_____
wandern	_____	sich freuen	_____
sich interessieren	_____	vorschlagen	_____
sich unterhalten	_____	leihen	_____
sich ausruhen	_____	verabredet sein	_____
teilnehmen	_____	Quatsch machen	_____
stattfinden	_____	tanzen	_____

Tipps zum Leseverstehen

Können Sie das schon gut? Bitte kreuzen Sie an.

	Das kann ich gut.	Das kann ich noch nicht.
Ich kann einfache Texte lesen und verstehen, wenn es um konkrete und alltägliche Themen geht. Zum Beispiel: persönliche Mitteilungen in E-Mails, SMS, kurzen Briefen.		
Ich kann einfache Texte lesen, wenn der Wortschatz weitgehend bekannt ist. Zum Beispiel: einen einfachen Zeitungstext über eine prominente Person.		
Ich kann einfache persönliche Briefe lesen. Zum Beispiel: einen Bericht über eine Reise.		
Ich kann in einem Brief oder Fax Informationen mit bekannten Wörtern finden. Zum Beispiel: in einer Beschwerde, Bestellung, Anfrage.		

Modul 2: Lesen

	Das kann ich gut.	Das kann ich noch nicht.
Ich kann Schilder mit Informationen verstehen. Zum Beispiel: im Kaufhaus, im Krankenhaus, an der Arztpraxis.		
Ich kann einen Informationstext mit Fotos und bekannten Wörtern verstehen. Zum Beispiel: Reiseprospekte, Werbung für Sprachkurse, Kataloge.		
Ich kann Informationen in einer Liste finden. Zum Beispiel: in einer Speisekarte, in einem Stundenplan, in einem Katalog.		

Globales Leseverstehen

1. Welches Foto passt?

Sie müssen in diesen Texten nicht jedes Wort verstehen. Sie sollen nur das Thema finden, die „Schlüsselwörter".

a. Das Wahrzeichen der Stadt: Die rein gotische Architektur des großen Doms fasziniert alljährlich Tausende von Touristen. Gleichzeitig ist der Domplatz aber auch der alltägliche Knotenpunkt für das Leben in der Stadt. Hier treffen sich die jungen Leute zum Bummel durch die Einkaufsstraßen.

b. Gleich hinter dem berühmten Tor beginnt die Straße „Unter den Linden", die früher zur Hauptstadt der DDR gehörte. Seit dem Fall der Mauer 1989 ist sie wieder ein beliebter Ort für den Abendspaziergang aller Stadtbewohner.

c. Eine Besichtigungsfahrt durch den Hafen ist für alle Touristen ein absolutes „Muss". Die Fahrt mit den kleinen Schiffen dauert drei Stunden und sie führt nicht nur zu den großen Kaianlagen und Werften, sondern auch durch die engen Kanäle zwischen den alten Lagerhäusern, die heute teilweise zu eleganten Apartments umgebaut sind.

Text   a.   b.   c.
Bild: __   __   __

Suchen Sie in jedem Text die Schlüsselwörter.

a. _____

b. _____

c. _____

2. Welcher Titel passt?

Sie müssen in diesen Texten nicht jedes Wort verstehen. Sie sollen nur das Thema finden, die „Schlüsselwörter".

1. Was Schüler in der Freizeit machen

2. Arbeiten auf dem Land

3. Reisewünsche

4. Kleidung am Arbeitsplatz

5. Was Jugendliche wollen

a. Viele Jugendliche wollen heute nicht mehr auf einem Bauernhof leben: Man muss früh aufstehen und sich um die Tiere kümmern, man verdient nicht viel und es gibt praktisch keine Ferien. Das alles führt dazu, dass heute immer mehr junge Leute in Berufe streben, die mit der Landwirtschaft nichts zu tun haben.

b. In vielen Firmen wird eine Art Berufskleidung erwartet: Wer in der Bank, in einem Exportbetrieb oder in der Finanzwelt Karriere machen will, der ist gut beraten, wenn er sich ein paar Anzüge kauft. Sogar die Studenten an den Wirtschafts-Universitäten versuchen schon, in ihrer Kleidung den zukünftigen Manager vorwegzunehmen.

c. Natürlich wünschen sich die meisten Schüler zuerst mal mehr Ferien und mehr Taschengeld, aber wenn man sie nach der Zukunft fragt, sind ihre Ideen weniger konkret. Viele wissen nicht genau, was sie später machen wollen, sie sprechen von einem interessanten Beruf, einer großen Wohnung, von Reisen und viel Freizeit, aber das sind nur Wörter aus einer Welt, die sie sich nicht so genau vorstellen können.

Text   a.   b.   c.

Überschrift: __   __   __

Suchen Sie in jedem Text die Schlüsselwörter, die zum Titel passen.

a. _____

b. _____

c. _____

3. Welcher Text passt?

Sie müssen in diesen Texten nicht jedes Wort verstehen. Sie sollen nur das Thema finden, die „Schlüsselwörter".

Warum schreiben diese Personen? Was wollen sie?

1. sich verabreden
2. sich beschweren
3. jemandem danken
4. einen Termin vereinbaren
5. jemanden einladen

a.

	Information — Eingang	
E-Mail(s) löschen	Ist Werbung	Antworten	An alle	Weiterleiten	Drucken

Von: seiler@versanet.de

An: attub2@popmail.com

Hallo Bernd, wie nett, dass Du Dich gemeldet hast. Ich habe mich sehr gefreut. Aber ich würde Dich auch gern mal wieder sehen. Hast Du nicht mal Lust nach Stuttgart zu kommen? Die Stadt ist wirklich interessant. Du könntest natürlich auch bei mir wohnen. Wir müssen nur genau planen, wann es geht, weil ich viel auf Geschäftsreisen bin. Antworte bald.
Achim

b.

```
TOLL! BIN TOTAL
GLÜCKLICH
WUNDERBARES
GESCHENK
LIEBE DICH!!
```

c.

Fax-Nr: 071567388

Betr: Mein Schreiben vom 15.9.2006

Wie Sie aus der Anlage ersehen, habe ich vor vier Wochen bei Ihrer Firma einen Farbdrucker bestellt. Bisher ist das Gerät nicht angekommen.
Sie sprechen in Ihrem Prospekt aber von 10 Tagen Lieferzeit. Wenn ich nicht umgehend von Ihnen höre, werde ich meine Bestellung zurückziehen.

Text   a.   b.   c.
Warum?   __   __   __

Suchen Sie in jedem Text die Schlüsselwörter.

a. _____   b. _____   c. _____

_____   _____   _____

Selektives Leseverstehen

Beispiel

Lesen Sie zuerst die Aufgabe ganz genau! Sie müssen die Frage gut verstehen. Dann lesen Sie den Text zweimal und suchen die Antwort.

Sie möchten wissen, wo Sie die Eintrittskarte kaufen können. In welcher Zeile finden Sie die Antwort?

---

1 Schlosstheater

2 Am Gärtnerplatz 7

3 B. Shaw, Das Haus in Montevideo

4 Di, Fr und Sa um 20.30 Uhr

5 Kartenverkauf ab 19.00 Uhr

Antwort: Zeilen 1, 2

1.

Lesen Sie zuerst die Aufgabe ganz genau! Sie müssen die Frage gut verstehen. Dann lesen Sie den Text mindestens zweimal und suchen die Antwort.

In welchen Zeilen finden Sie diese Informationen:

a. Wo ist das Haus?

b. Wie viele Schlafzimmer gibt es?

c. Kann man draußen sitzen?

d. Wann wollen sie Ferien machen?

Information — Eingang

E-Mail(s) löschen | Ist Werbung | Antworten | An alle | Weiterleiten | Drucken

Von: michis@aol.com
An: fischer@tiscalinet.ch

1 Hallo Gabi,
2 ich habe das Ferienhaus gesehen, es ist wunderschön, Du wirst
3 begeistert sein! Es liegt zwar nicht direkt am See, sondern in einer
4 kleinen Seitenstraße, aber zum Schwimmen brauchen wir nur
5 fünf Minuten zu gehen. Es ist auch nicht so groß, wie Du gern
6 möchtest, aber wir sollten es trotzdem mieten, weil es so hell und
7 sonnig ist. Karl und Elisabeth können das Schlafzimmer haben
8 und wir nehmen das Sofa im Wohnzimmer, das ist bestimmt gar
9 kein Problem. Vor der Küche ist ein herrlicher Balkon mit Esstisch,
10 vier Stühlen und Sonnenschirm. Da können wir dann frühstücken,
11 darauf freue ich mich jetzt schon!
12 Wir können das Haus für den ganzen August mieten, was meinst Du?
13 Du hast ja leider nur zwei Wochen Ferien, aber Du kannst ja auch
14 am Wochenende kommen. Du siehst, ich bin fest entschlossen und Dir
15 wird das Haus auch gefallen, da ich bin ganz sicher.
16 Bitte antworte mir schnell, in Liebe Dein Michael

Antwort: a. Zeile _____   c. Zeile _____

b. Zeile _____   d. Zeile _____

2.

Lesen Sie zuerst die Aufgabe ganz genau! Sie müssen die Frage gut verstehen. Dann lesen Sie den Text zweimal und suchen die Antwort.

Sie möchten für Ihre Schwester zum Geburtstag ein Buch kaufen. Ihre Schwester reist gern. Welche Anzeige passt?

a.

Antiquariat Wagner

Wertvolle alte Bücher

Erstausgaben

Literarische Raritäten

Besonders große Auswahl
an Opernlibrettos

b.

Globetrotter-Equipment

Alles, was Sie für die Reise brauchen:

Rucksäcke, Campingausrüstung und
Trekkingstiefel

Aber auch Reiseführer und praktisches Gepäck

Im Sonderangebot: Sportkleidung und Schuhe

c.

Geschenke-Boutique

Was sollen Sie jemandem schenken,
der schon alles hat?

Bei uns finden Sie die Antwort:

Originelle Geschenkideen für
jede Gelegenheit!

Kommen Sie zu uns, wir beraten Sie gern.

Antwort:

a.   b.   c.

3.

Lesen Sie zuerst die Aufgabe ganz genau! Sie müssen die Frage gut verstehen. Dann lesen Sie den Text zweimal und suchen die Antwort.

Sie suchen im Internet ein Angebot für einen Wochenendausflug. Sie möchten am liebsten mit einem Schiff fahren. Welche Anzeige passt?

a. www.die-donau.net

> geografische Karte
> nautische Karte
> Strömungsverlauf
> Wettervoraussage

b. www.billigreisen.au

Günstige Reiseangebote für junge Leute

Trekking in Südamerika –
Strandurlaub in Mexiko
Mit dem Raddampfer auf dem Nil
Schiffsreisen in der Ostsee
Buchen Sie jetzt!

c.

www.donauschiffe.de

Auf dem Wasser nach Wien und zurück:
Abfahrt: Samstag, 9:20
Ankunft: Sonntag, 19:30
Restaurant und Sonnendeck
Buchen: Klicken Sie hier!

Antwort:

a   b   c

4.

Lesen Sie zuerst den Text. Dann lesen Sie die Fragen und kreuzen an. Suchen Sie die Antworten im Text.

Kreuzen Sie an: Richtig oder Falsch ?

„Manchmal hat man Glück!"

Susanne Meyer hat es geschafft: Sie fliegt um die ganze Welt. Sie interviewt berühmte Leute. Wenn sie ihre Freunde aus dem Gymnasium trifft, dann erzählt sie von ihrem Leben in New York.

Angefangen hat das alles mit einem Praktikum bei der „Stadtzeitung" in Gelsenkirchen. Eigentlich wollte Susanne Englischlehrerin werden, aber dann hat sie ihre Liebe zum Journalismus entdeckt. In den sechs Wochen bei der „Stadtzeitung" hat sie gesehen, dass das ihr Traumberuf ist. Deshalb hat sie mit dem Studium aufgehört. Sie hat angefangen, als selbstständige Mitarbeiterin für verschiedene Zeitungen zu schreiben: kleine Artikel, Interviews,

Reiseberichte. Und sie hatte Glück, sie konnte ein Interview mit einem amerikanischen Rockstar machen, das war der Anfang.

Heute sagt Susanne: „In den ersten Jahren habe ich sehr wenig verdient, meine Eltern haben mir geholfen. Erst seit ich einen festen Vertrag bei einer amerikanischen Zeitschrift habe, fühle ich mich wirklich selbstständig und frei. Die Arbeit macht mir Spaß, ich schreibe meistens über die Popkonzerte, die Stars und ihre neuen CDs, da passiert so viel Interessantes und Neues. Das finde ich faszinierend."

Vielleicht lesen wir morgen wieder einen Artikel von Susanne Meyer über die New Yorker Musikszene.

	Richtig	Falsch
a. Susanne wollte eigentlich Englischlehrerin werden.	☒	☐
b. Sie hat ein Praktikum in New York gemacht.	☐	☐
c. Sie lebt heute in New York.	☐	☐
d. Susanne hat ihr Studium abgeschlossen.	☐	☐
e. Sie ist heute bei einer deutschen Zeitung angestellt.	☐	☐
f. Sie schreibt meistens über Musik.	☐	☐

Detailliertes Leseverstehen

1. Ordnen Sie den Text.

a. Ich komme aber bestimmt gegen acht Uhr.

b. herzlichen Dank für Ihre freundliche Einladung.

c. Ich freue mich sehr auf das Abendessen am Freitag mit den Kolleginnen und Kollegen.

d. ~~Sehr geehrter Herr Dr. Schmid-Seibold,~~

e. Deshalb kann ich vielleicht nicht genau um 19.30 bei Ihnen sein.

f. Mit freundlichen Grüßen

g. Martina Wördemann

h. Aber am Freitag bin ich leider auf einer Dienstreise, von der ich erst am Abend zurückkomme.

1. ___d___   5. _____

2. _____   6. _____

3. _____   7. _____

4. _____   8. _____

2. Welche Antwort passt?

Text	a	b	c	d	e
Antwort	–	–	–	–	–

a. Danke für Deine Mail. Ich finde Deinen Vorschlag gut. Wenn wir zusammen lernen, geht es sicher schneller. Wir können uns in der Bibliothek treffen, was meinst Du?	1. Ich habe am Mittwoch einen Termin beim Arzt, vielleicht kann ich einen anderen Termin bekommen. Ich rufe Sie morgen an.
b. Hallo Christa, warum bist Du gestern nicht gekommen? Wir haben Dich zweimal angerufen, aber Du hast nicht geantwortet. Was war denn los?	2. Ich habe im Moment sehr wenig Zeit, haben Sie auch am Wochenende geöffnet?
c. Herzlichen Dank für Ihre Bestellung. Leider können wir Ihnen die Lampe nicht nach Hause schicken. Kommen Sie zu unserem Lager in der Hofstraße, Sie können die Lampe dann sofort mitnehmen.	3. Die Bibliothek schließt um 18.00 Uhr. Komm lieber zu mir, ich habe die meisten Bücher auch zu Hause.
d. Hallo Barbara, ich habe gestern meine Kette bei Dir verloren, hast Du sie schon gefunden? Bist Du heute Abend zu Hause?	4. Tut mir leid, ich hatte Probleme mit meinem Auto und das Handy habe ich im Büro vergessen. Sehen wir uns am Wochenende?
e. Liebe Frau Meinrich, können Sie bitte am Mittwochvormittag ins Büro kommen? Eine Kollegin ist krank.	5. Nein, ich habe nichts gefunden, tut mir leid. Ich gehe heute Abend ins Theater, aber Georg ist zu Hause.

Übungen zum Leseverstehen

Leseverstehen Teil 1: Listen, Inventare, Inhaltsangaben

1.
Sie wollen am Wochenende das Stadtfest in Waiblingen besuchen.
Lesen Sie zuerst die Aufgaben 1–5. Danach suchen Sie die Antworten im Text.
Welche Programmteile wollen Sie besuchen? Kreuzen Sie an: a, b oder c.

Beispiel

Sie interessieren sich für Kleider und Mode. Wann gehen Sie zum Stadtfest?
- [a] am Samstagabend
- [b] am Sonntagvormittag
- [X] anderer Zeitpunkt

1. Sie möchten vor allem, dass Ihre Kinder Spaß haben. Wann gehen Sie zum Stadtfest?
- [a] am Samstagnachmittag
- [b] am Sonntagvormittag
- [c] anderer Zeitpunkt

2. Sie möchten die Spezialität von Waiblingen essen. Wann gehen Sie zum Stadtfest?
- [a] am Samstagnachmittag
- [b] am Samstagabend
- [c] anderer Zeitpunkt

3. Sie interessieren sich für die Geschichte der Stadt Waiblingen. Wann gehen Sie zum Stadtfest?
- [a] am Samstagnachmittag
- [b] am Sonntagvormittag
- [c] anderer Zeitpunkt

4. Sie hören gern klassische Musik. Wann gehen Sie zum Stadtfest?
- [a] am Samstagabend
- [b] am Sonntagvormittag
- [c] anderer Zeitpunkt

5. Sie möchten gern alte Möbel kaufen. Wann gehen Sie zum Stadtfest?
- [a] am Samstagnachmittag
- [b] am Sonntagvormittag
- [c] anderer Zeitpunkt

Stadtfest Waiblingen

Samstagvormittag

Ab 9.00
- Begrüßung der Gäste vor dem Rathaus
- Es spielt die Blaskapelle des Sportvereins Waiblingen
- Umzug durch die Stadt
- Modeschau im Park
- Straßentheater auf dem Marktplatz
- Verkaufsstände in der Kanalstraße

Samstagnachmittag

Ab 14.30
- Fußball auf dem Sportplatz: FC Waiblingen — Rot/Weiß Gummersbach
- Fassbinder-Filmschau im Gloria-Palast, Ringstr. 23
- Führungen durch das Heimatmuseum am Schlossgraben
- Theater für unsere kleinen Gäste auf dem Marktplatz
- Weinprobe in der „Kleinen Stube" am Domplatz

Samstagabend

Ab 20.00
- Biergarten auf dem Domplatz
- Kostenlos: die berühmten Waiblinger Käsespätzle mit Salat
- Musik und Tanz im Stadtpark
- Folklore-Konzert auf dem Marktplatz
- Um 22.00: das große Feuerwerk!

Sonntagvormittag

Ab 10.00
- Vortrag von Prof. Heimüller mit anschließender Führung durch das Naturkundemuseum
- Kammermusik im Rathaus: Das „Waldheimer Quartett" spielt Mozart und Brahms
- Umzug der Waiblinger Blaskapelle
- Verkaufsstände in der Kanalstraße

Sonntagnachmittag

Ab 14.30
- Antiquitätenmarkt auf dem Marktplatz
- Große Blumenschau im Park
- Umzug der Blaskapelle durch die Stadt
- Abschlusskonzert um 17.00 Uhr vor dem Dom

2.

Sie wollen eine große Ausstellung zum Thema „Freizeit und Hobby" besuchen.
Lesen Sie zuerst die Aufgaben 1–5. Danach suchen Sie die Antworten im Text.
Welche Teile der Ausstellung wollen Sie sehen? Kreuzen Sie an: a, b oder c.

1. Sie möchten eine Radfahrt in Mecklenburg-Vorpommern machen. Sie suchen
   eine Karte mit den Radwegen.
   a Raum 1
   b Raum 3
   c Anderer Raum

2. Sie wollen ein Buch über Alpen-
   blumen kaufen.
   a Raum 2
   b Raum 4
   c Anderer Raum

3. Sie interessieren sich für schöne Fotos.
   a Raum 3
   b Raum 5
   c Anderer Raum

4. Sie suchen ein Sporthotel.
   a Raum 2
   b Raum 3
   c Anderer Raum

5. Sie interessieren sich für neue Medien.
   a Raum 1
   b Raum 5
   c Anderer Raum

Freizeit-Messe
15. August – 7. September auf dem Messeplatz am Stadion

Raum 1
- Alles für den Radsport – 500 verschiedene Modelle – Schutzhelme – Radlerkleidung
- Informationen über Radwandern – Reiseorganisation
- Große Auswahl an Radwander-Karten
- Jeden Nachmittag Radrennen für Jugendliche von 10 bis 14 Jahren

Raum 2
- Wassersport und Strandleben – Rudern, Wildwasserfahren, Sportsegeln – Bootszubehör und wasserdichte Kleidung
- Bademode – Spielzeug für den Strand – Sonnenschirme und Liegestühle
- Jeden Samstagnachmittag Modeschau von „Wallis-Boutique" (Eintrittskarten am Stand der Firma Wallis)

Raum 3
- Wellness und Fitness – Heimtrainer, Saunaanlagen, Whirlpools – Fitness-Geräte zum Ausprobieren
- Kräuterheilkunde – Massage – Diätberatung
- Informationen über Wellness-Hotels
- Sonderangebote beim Reisebüro „Wellness und mehr"

Raum 4
- Bergwandern und Bergsteigen – fachgerechte Ausrüstung – regenfeste Kleidung – große Auswahl an Bergstiefeln
- Fotoausstellung „Das deutsche Hochgebirge"
- Literatur über die Flora und Fauna in den Alpen
- Vortrag: Die Besteigung des Matterhorns im Jahre 1865

Raum 5
- Computer und Video – große Auswahl an Videos und DVDs
- Die neuesten Computerprogramme – Computerspiele
- Computerzubehör – Fernsehgeräte – Flachbildschirme
- Fachzeitschriften – Informationen und Beratung

3.

Sie wollen an einer Stadtbesichtigung teilnehmen und lesen deshalb den Prospekt von einem Reisebüro.

Lesen Sie zuerst die Aufgaben 1–5. Danach suchen Sie die Antworten im Text.

Welche Stadtführung ist für Sie richtig? Kreuzen Sie an: a, b oder c.

1. Sie möchten mit dem Schiff fahren.
   - [a] B.
   - [b] D.
   - [c] Andere Führung

2. Sie möchten nur das Stadtzentrum sehen.
   - [a] A.
   - [b] D.
   - [c] Andere Führung

3. Sie möchten den „Uhrturm" sehen.
   - [a] B.
   - [b] E.
   - [c] Andere Führung

4. Sie möchten sehen, wo die Ausstellung „Neue Medien" stattfindet.
   - [a] C.
   - [b] D.
   - [c] Andere Führung

5. Sie haben nur sehr wenig Zeit.
   - [a] A.
   - [b] E.
   - [c] Andere Führung

A. Zu Fuß durch die Altstadt

10.00 Uhr Führung im Dom – Spaziergang durch Seilergasse und Böttcherstraße – Führung im Alten Schloss – Besichtigung Rathaus – 12.30 Glockenspiel auf dem Domplatz

B. Stadtbesichtigung vom Wasser aus

9.00 Uhr Abfahrt am Michaeliskai – Handelshafen – Lagerhäuser – der kleine Yachthafen – Schleusentor – Fahrt durch den Hauptkanal – 12.00 Uhr Ankunft Stadtbrücke

C. Große Stadtbesichtigung

9.00 Uhr Abfahrt Bahnhof – Innenstadt, Dom und Altes Schloss – Lagerhäuser am Hafen – Ausstellungsgelände – Stadion – Stadtpark – Gartentheater – 12.00 Uhr Ankunft Bahnhof

D. Stadtbesichtigung für eilige Besucher

9.00 Uhr Abfahrt Bahnhof – Innenstadt, Dom und Altes Schloss – Stadtpark und Einkaufszentrum – Kongresshalle – 10.00 Ankunft Bahnhof

E. Historische Rundfahrt

10.00 Uhr Abfahrt Marktplatz – Führung im Alten Schloss – Fahrt zum Residenzmuseum – Führung im Museum – Fahrt zum alten Turm – Besichtigung der historischen Uhren – 13.00 Uhr Ankunft Marktplatz

Leseverstehen Teil 2: Zeitungsmeldungen

Lesen Sie den Text und die Aufgaben 1–5.
Sind die Aussagen Richtig oder Falsch ? Kreuzen Sie an.

Lesetext 1

Beispiel: Chris Hansen ist ein Tennisspieler.	Ri⨯tig	Falsch
1. Chris hatte einen Unfall auf dem Tennisplatz.	Richtig	Falsch
2. Er war am Knie verletzt.	Richtig	Falsch
3. Sein Trainer glaubt, dass Chris sehr vorsichtig sein muss.	Richtig	Falsch
4. Chris hat mit 14 Jahren angefangen, Tennis zu spielen.	Richtig	Falsch
5. Sein Vater ist sicher, dass Chris als Gewinner aus Hamburg zurückkommt.	Richtig	Falsch

Deutscher Tennis-Star spielt wieder:

Chris Hansen wagt ein Comeback!

Vor zwei Jahren hatte der mehrfache Jugendmeister im Herreneinzel einen Motorradunfall und war schwer verletzt. Es folgten mehrere Operationen am rechten Knie.

Erst seit sechs Monaten ist Chris Hansen wieder auf dem Tennisplatz.

Sein Trainer sagt: „Chris ist genauso stark wie früher und technisch spielt er heute sogar noch besser!"

Chris hatte schon in der Grundschulzeit viel Tennisunterricht und hat jeden Tag stundenlang geübt.

Mit 14 Jahren hat er die ersten wichtigen Spiele gewonnen, mit 16 Jahren war er der deutsche Jugendmeister.

Chris wollte wieder gesund und fit werden und hat dafür hart gearbeitet. Seine Familie hat ihm auf diesem schweren Weg immer wieder geholfen. Sein Vater sagt heute: „Zuerst sah es gar nicht gut aus, aber jetzt spielt mein Sohn besser als vor zwei Jahren. Am Wochenende wird Chris in Hamburg gegen Sven Kramer spielen, ich bin sicher, dass er das Spiel gewinnt!"

2. Lesetext 2

Lesen Sie den Text und die Aufgaben 1–5.

Sind die Aussagen Richtig **oder** Falsch **? Kreuzen Sie an.**

1. Dagmar Andersson arbeitet beim deutschen Fernsehen.	Richtig	Falsch
2. Die Arbeit macht ihr keinen Spaß mehr.	Richtig	Falsch
3. Dagmar ist schon sehr lange verheiratet.	Richtig	Falsch
4. Sie wohnt in München.	Richtig	Falsch
5. Sie will nie wieder beim Fernsehen arbeiten.	Richtig	Falsch

Fernseh-Star wird Mutter

Dagmar Andersson will nur für die Familie leben

Seit 14 Monaten moderiert sie mit großem Erfolg die Fernseh-Show »Am Nachmittag bei Dagmar«, aber am 30. Mai will sie dem Fernsehen »Auf Wiedersehen« sagen. Dagmar Andersson hat jetzt andere Pläne: »Im September bekomme ich ein Baby, es wird eine Tochter sein. Dann möchte ich Zeit für das Kind und meinen Mann haben. Natürlich tut es mir leid, denn mit den Gästen und den Zuschauern habe ich eine wunderbare Zeit verbracht.«

Die Hochzeit mit dem Industrie-Kaufmann Holger Schmidt war vor einem Jahr, das Paar bewohnt ein Haus mit einem großen Garten in einem Dorf in der Nähe von München. Sie wünschen sich viele Kinder, und Kinder brauchen Platz zum Spielen, sagt Dagmar.

Will sie wirklich nie mehr zum Fernsehen zurückkommen? Dagmar lacht zu dieser Frage und meint: »Das kann ich heute noch nicht sicher sagen, aber jetzt will ich erst mal zu Hause bleiben. Später, wenn die Kinder zur Schule gehen und ich es zu Hause langweilig finde, sieht die Situation vielleicht ganz anders aus!«

Modul 2: Lesen

Leseverstehen Teil 3: Kleinanzeigen

Lesen Sie die Internet-Anzeigen und die Aufgaben 1–5.
Welche Anzeige passt zu welcher Situation?
Für eine Aufgabe gibt es keine Lösung. Schreiben Sie hier den Buchstaben X.

Beispiel: Sie möchten mit Ihrer Freundin essen gehen. Sie möchten draußen sitzen.

Situation	Beispiel	1	2	3	4	5
Lösung	b	—	—	—	—	—

1. Ihre siebenjährige Tochter hat nächste Woche Geburtstag. Sie möchte viele Freundinnen und Freunde einladen.
2. Sie suchen ein Geschenk für Ihre Freundin Sylvia. Silvia liebt alte Teller und Gläser.
3. Sie möchten mit Ihren Freunden drei Wochen durch Osteuropa reisen. Sie möchten keine Luxusreise machen. Aber sie möchten selbst wählen, wohin die Reise geht.
4. Sie haben eine neue Arbeit gefunden und suchen jetzt eine Wohnung mit drei oder vier Zimmern in der Stadt.
5. Sie wollen sich über die Sommermode informieren und vielleicht ein neues Kleid kaufen.

a. www.sommer.reise.de

Ferien-Apartments am Müggelsee
> Zehn Gehminuten von der Seepromenade
> Neubau – sehr schöne Grünanlagen
> Ferienwohnungen mit drei oder vier Zimmern
> Alle Wohnungen mit Balkon oder Terrasse
> Informationen bei fe-wo@mueggelsee.org

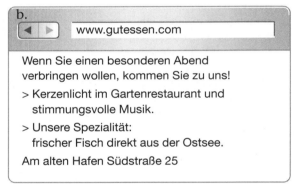

b. www.gutessen.com

Wenn Sie einen besonderen Abend verbringen wollen, kommen Sie zu uns!
> Kerzenlicht im Gartenrestaurant und stimmungsvolle Musik.
> Unsere Spezialität: frischer Fisch direkt aus der Ostsee.
Am alten Hafen Südstraße 25

c. www.abenteuer-reisen.de

Der **Globetrotter-Club** bietet ein ganz neues Programm: Kombinierte Reisen mit Fahrrad, Kanu und Kleinbus in Mittel- und Osteuropa – Gruppen können die Route zusammen mit dem Reiseführer selbst planen.

d. www.marleneseidel.de

Die neue **Sommerkollektion** ist da!
Elegante Kleidung für berufstätige Frauen.
Aufregende Farben und interessante Materialien.
Viele Modelle können Sie bei der Modeschau direkt bestellen.
Von 15.3.–20.3. täglich um 18.30
in Marlene's Shop

e.

www.seecafe.de

**Wenn Sie mit Ihrer Familie einen gemütlichen Nach-
mittag verbringen wollen, kommen Sie ins See-Café!**

Fantastisches Angebot an hausgemachten
Kuchen und Torten.

Großer Spielplatz und Organisation von Festen
für Kinder.

Am Samstagnachmittag Volkstanz!

Tischreservierung Tel: 08841 43 55 67

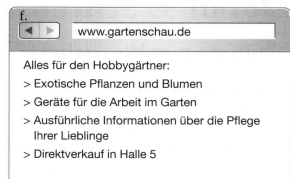

f.

www.gartenschau.de

Alles für den Hobbygärtner:

> Exotische Pflanzen und Blumen

> Geräte für die Arbeit im Garten

> Ausführliche Informationen über die Pflege
  Ihrer Lieblinge

> Direktverkauf in Halle 5

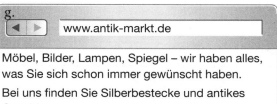

g.

www.antik-markt.de

Möbel, Bilder, Lampen, Spiegel – wir haben alles,
was Sie sich schon immer gewünscht haben.

Bei uns finden Sie Silberbestecke und antikes
Geschirr.

Wir verkaufen alte Bücher, Schallplatten und CDs.

Besuchen Sie uns am Alten Heumarkt.

Samstags und sonntags bis 22.00 Uhr geöffnet.

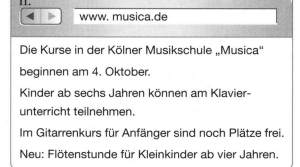

h.

www. musica.de

Die Kurse in der Kölner Musikschule „Musica"

beginnen am 4. Oktober.

Kinder ab sechs Jahren können am Klavier-
unterricht teilnehmen.

Im Gitarrenkurs für Anfänger sind noch Plätze frei.

Neu: Flötenstunde für Kleinkinder ab vier Jahren.

Modul 2: Lesen

*Der Prüfungsteil „Lesen" für die Niveaustufe A2 dauert 20 Minuten und hat drei Teile (Informa-
tionen, einen Text, Anzeigen). Eine „echte Prüfung" finden Sie in Modul 5: Simulation Goethe-
Zertifikat A2 / Start Deutsch 2 auf Seite 103.*

Modul 3: Schreiben

Übungen zum Wortschatz

Wortschatz „Wohnen"

(Hilfe finden Sie in der Wortliste auf Seite 55.)

1. Welche Anzeige passt zu den Situationen a–h?

Anzeige 1	Anzeige 2	Keine Anzeige
		a,

1

Wohnung
zu vermieten:

Stadtmitte
Zwei Zimmer, kleine Küche, Bad und Flur
5. Stock, Blick auf die Dächer der Stadt
Haustiere nicht erwünscht!

Weitere Informationen Tel: 0721 345908

2

Elegante Wohnungen am Fluss

Neue Wohnanlage im idyllischen Dorf
Kleinhagen, 10 Min. zur Autobahn

Gute Investition:
2- und 3-Zimmer-Wohnungen, alle mit Balkon

Garagen, großzügige Gartenanlagen

Langfristige Finanzierung möglich!

www.hansa-investment-fond.com

a. Sie sind Studentin und suchen ein billiges Zimmer.

b. Sie suchen eine Wohnung im Zentrum.

c. Sie möchten außerhalb der Stadt wohnen.

d. Sie wollen eine Wohnung mieten, Sie haben einen Hund.

e. Sie wollen eine Wohnung in der Stadt kaufen.

f. Sie möchten eine Wohnung am Wasser kaufen.

g. Sie möchten gern in einem höheren Stock wohnen.

h. Sie suchen ein kleines Haus am Fluss.

2. Welcher Satz passt?

Satz	a	b	c	d	e	f	g	h
Antwort	2	–	–	–	–	–	–	–

a. Wie viele Einwohner hat Bielefeld?	1. Die steht im Keller.
b. Ist heute gar keine Post gekommen?	2. Das weiß ich leider nicht.
c. Die Wohnung ist im 4. Stock. Das sind aber ziemlich viele Treppen!	3. Es gibt eine Gasheizung.
d. Wer macht bei euch die Arbeit im Haushalt?	4. Das ist nicht so schlimm, es gibt einen Aufzug.
e. Wo steht denn eure Waschmaschine?	5. Nein, der Briefkasten war leer.
f. Kannst du den Schrank reparieren?	6. Am besten in den Flur.
g. Wie wird die Wohnung geheizt?	7. Ich lebe allein, ich muss alles selbst machen.
h. Wohin kann ich den Kinderwagen stellen?	8. Leider nicht, ich habe kein Werkzeug.

3. Schreiben Sie Sätze mit „wenn".

der Balkon ist groß genug – es gibt einen Aufzug – sie ist nicht zu teuer – das Bad ist renoviert – Hunde sind erlaubt – sie ist nicht zu laut – sie liegt in der Nähe der Universität – ich kann die Möbel behalten

_____

_____

_____

_____

Ich miete die Wohnung,   wenn sie nicht zu laut ist.

_____

_____

4. Welches Wort passt nicht?

a. Arbeitszimmer: Toilette, Schreibtisch, Lampe, Stuhl
b. Wohnzimmer: Teppich, Sofa, Lampe, Herd, Tisch
c. Küche: Spülmaschine, Kühlschrank, Schild, Esstisch, Mülleimer, Herd
d. Bad: Waschmaschine, Toilette, Handtuch, Schrank, Bett
e. Schlafzimmer: Teppich, Mülltonne, Schrank, Lampe, Stuhl
f. Flur: Schrank, Dusche, Kinderwagen, Telefon

5. Was ist richtig? Kreuzen Sie an.

1 Hier ist es aber kalt! Kannst du nicht _b_ anmachen?

- [a] die Maschine
- [X] die Heizung
- [c] das Gerät

2 Unten an der Haustür steht mein Name, da musst du ____.

- [a] putzen
- [b] klopfen
- [c] klingeln

3 Das Sofa kostet € 360,00 – dazu kommen dann noch 19% ____.

- [a] Mehrwertsteuer
- [b] Gebühren
- [c] Trinkgeld

4 Ich habe eine neue Wohnung gefunden, nächste Woche will ich ____.

- [a] anziehen
- [b] umziehen
- [c] ausgehen

5 Leider ist meine Wohnung noch nicht ____, ich habe im Moment kein Geld für Möbel.

- [a] aufgeräumt
- [b] eingerichtet
- [c] geputzt

6 Ich habe nur einen Mietvertrag für ein Jahr, ich möchte ihn gern ____, aber mein Vermieter will das nicht.

- [a] vereinbaren
- [b] vergleichen
- [c] verlängern

7 Die Wohnung hat einen kleinen Garten, sie liegt ____.

- [a] auf dem Balkon
- [b] im Erdgeschoss
- [c] an der Treppe

8 Ich will einen Englischkurs in London machen, aber ich muss mir noch ____ suchen.

- [a] einen Vertrag
- [b] eine Unterkunft
- [c] eine Versicherung

6. Welches Wort passt?

a. ziehe … um – b. Transportfirma – c. Zimmer – d. Spaß – e. günstig – f. helfen – g. Studentinnen – h. Kaufhaus – i. Stadt – j. nichts – k. wahr – l. ~~Liebe~~ – m. teuer – n. gefunden – o. nett –
p. einrichten – q. Sofa – r. Möbel

(1) __l__ Angelika,
Du glaubst es nicht, aber es ist (2) ____: Ich habe Arbeit gefunden; ich fange ein neues Leben an.
Ich habe schon alles eingepackt und morgen (3) ____ ich ____! Ist das nicht wunderbar?
Ich arbeite bei einer (4) ____ in Fulda, wie findest Du das? Natürlich ist Fulda nur eine kleine
(5) ____, aber sie ist sehr hübsch und ich habe auch sofort ein Zimmer (6) ____, in einer Wohnung
zusammen mit zwei (7) ____.
Mein (8) ____ ist ziemlich groß, aber da steht nur ein Bett, sonst (9) ____. Ich muss unbedingt ein
paar Möbel kaufen, ich möchte mein erstes Zimmer gern besonders schön (10) ____. Willst Du nicht
kommen und mir (11) ____? Du kannst auf dem (12) ____ im Wohnzimmer schlafen; die beiden
Studentinnen haben gesagt, dass sie das auch gut finden, sie sind wirklich sehr (13) ____.
Wenn Du mit dem Auto kommst, können wir zu einem großen (14) ____ in der Nähe von Fulda
fahren; da sind die (15) ____ billiger. Ich habe eine Anzeige gelesen, ich glaube, das ist wirklich
sehr (16) ____.
Ich brauche natürlich einen Schrank, einen Schreibtisch, einen Teppich und zwei Sessel – oje, das
ist bestimmt viel zu (17) ____!
Bitte, Angelika, komm nach Fulda! Wenn wir das zusammen machen, macht es viel mehr (18) ____!

Bis bald, okay?
Deine Susi

Wortliste „Wohnen"

1. Welche Wörter kennen Sie? Kreuzen Sie an.
Suchen Sie die unbekannten Wörter im Wörterbuch.

die Adresse ☐	die Anzeige ☐	der Aufzug ☐	der Ausgang ☐
der Anruf- beantworter ☐	die Beratung ☐	der Betrag ☐	der Briefkasten ☐
	der Blick ☐	das Büro ☐	das Dach ☐
das Ding ☐	das Dorf ☐	das Erdgeschoss ☐	der Eingang ☐
die Ecke ☐	der Einwohner ☐	der Flur ☐	das Gas ☐
die Garage ☐	das Holz ☐	das Metall ☐	die Heizung ☐
die Heimat ☐	der Haushalt ☐	die Hausfrau ☐	der Hausmann ☐
das Handtuch ☐	die Küche ☐	der Kühlschrank ☐	der Kinderwagen ☐
der Keller ☐	die Maschine ☐	die Miete ☐	die Möbel ☐
der Müll ☐	die Mülltonne ☐	die Mehrwert- steuer ☐	die Mitte ☐
das Licht ☐	die Ordnung ☐		das Plastik ☐
der Preis ☐	der Prospekt ☐	der Raum ☐	das Schild ☐
der Schlüssel ☐	der Strom ☐	der Sessel ☐	der Stuhl ☐
das Sofa ☐	der Teppich ☐	die Treppe ☐	die Tür ☐
der Turm ☐	die Toilette ☐	die Unterkunft ☐	die Versicherung ☐
das Werkzeug ☐	das Zimmer ☐		

2. Wie heißen diese Verben in Ihrer Muttersprache?

abschließen	_____	pensioniert sein	_____
sich anmelden	_____	klingeln	_____
verlängern	_____	klopfen	_____
vermieten	_____	aufräumen	_____
einrichten	_____	behalten	_____
einziehen	_____	braten	_____
umziehen	_____	backen	_____
zusammenleben	_____	sich ärgern	_____

Wortschatz „Körper und Gesundheit"

(Hilfe finden Sie in der Wortliste auf Seite 59.)

1. Wie heißen diese Körperteile?

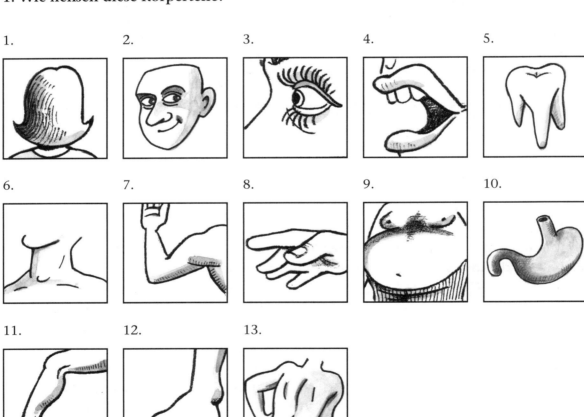

1. *der Kopf*

2. _____

3. _____

4. _____

5. _____

6. _____

7. _____

8. _____

9. _____

10. _____

11. _____

12. _____

13. _____

2. Kreuzen Sie an: Richtig oder Falsch ?

Die Krankenkasse empfiehlt: Sport für Senioren

Auch für Menschen über 60 ist Sport wichtig und interessant!
In allen Informationszentren der Krankenkasse finden Sie
Prospekte mit Sportangeboten für ältere Menschen.

Besonders günstig sind die Veranstaltungen:
– Morgengymnastik im Stadtpark
– am Samstag ein Volkslauf vom Marktplatz aus (5 km)
– am Sonntag eine Wanderung durch die Herbstlandschaft (10 km).

Besuchen Sie auch die Vorlesung von Prof. Dr. Maiwald am Freitag, 15.8., um 18.30 Uhr im Informationszentrum, Mariengasse 17.
Thema: Älter werden und gesund bleiben!
Ab 20.00 Uhr: Umtrunk und Erfahrungsaustausch.

	Richtig	Falsch
a. Die Stadt empfiehlt ein Sportprogramm.	☐	☒
b. Mit 60 Jahren soll man lieber keinen Sport machen.	☐	☐
c. Die Krankenkasse organisiert Sportprogramme.	☐	☐
d. Jeden Abend gibt es im Park ein Gymnastikprogramm.	☐	☐
e. Die Wanderung am Samstag geht über 10 km.	☐	☐
f. Prof. Maiwald spricht am Freitag um halb sieben.	☐	☐
g. Am Freitag um halb acht gibt es etwas zu trinken.	☐	☐

3. Schreiben Sie das Gegenteil.

süß	_____	voll	_____
krank	_____	vorsichtig	_____
schwach	_____	dumm	_____
heiß	_____	drinnen	_____
dick	_____	reich	_____

4. In den Sätzen a–l sind zwei Dialoge: „Im Büro" und „In der Praxis".

Schreiben Sie zuerst beide Dialoge ins Heft. Ergänzen Sie dann die Buchstaben.

a Nein, das ist doch nur ein dummer Schnupfen, das dauert sicher nicht lange.

b Seit wann haben Sie diese Schmerzen?

c Es geht mir nicht so gut, ich bin seit drei Tagen erkältet.

d Nun mal langsam, vielleicht sind Sie nur erkältet. Haben Sie Fieber?

e Ja, mein Hals tut ein bisschen weh, ich glaube, morgen komme ich nicht ins Büro.

f Seit gestern Abend, können Sie mir ein Rezept geben?

X ~~Du hustest aber sehr schlimm, wie fühlst du dich denn?~~

X ~~Guten Tag, Dr. Rudolfs, ich glaube, ich habe eine Grippe.~~

i Hast du schon ein Medikament genommen?

j Ja sicher, aber ich möchte Sie zuerst untersuchen.

k Ich glaube ja, ich fühle mich so heiß. Und ich habe starke Kopfschmerzen.

l Na, ich weiß nicht, hast du auch Schmerzen?

Im Büro

1 ☐ *g*
2 ☐
3 ☐
4 ☐
5 ☐
6 ☐

In der Praxis

1 ☐ h
2 ☐
3 ☐
4 ☐
5 ☐
6 ☐

5. Was ist richtig? Kreuzen Sie an.

1 Das Medikament bekommen Sie ____.
   ☐ a am Kiosk
   ☒ b in der Apotheke
   ☐ c in der Bäckerei

2 Du bist verletzt, du ____.
   ☐ a fällst
   ☐ b läufst
   ☐ c blutest

3 Dr. Mehlbaum hat montags und mittwochs von 9.00–12.00 Uhr ____.
   ☐ a Besuch
   ☐ b Sprechstunde
   ☐ c Einführung

4 Bleiben Sie im Bett und nehmen Sie morgens und abends ____.
   ☐ a die Schmerzen
   ☐ b die Untersuchung
   ☐ c das Medikament

5 Am Sonntag ist die Praxis von Dr. Meyrink nicht besetzt, in sehr schlimmen Fällen rufen Sie bitte ____.
   ☐ a den Notarzt
   ☐ b die Sprechstunde
   ☐ c die Krankenkasse

6 Dieses Medikament ist sehr stark, das bekommen Sie nur mit ____.
   ☐ a einem Mittel
   ☐ b einem Rezept
   ☐ c einem Unfall

7 Michaela ist ____. Sie bekommt ihr
drittes Kind.
- [a] krank
- [b] müde
- [c] schwanger

8 Ich komme morgen etwas später, ich
habe ____ beim Arzt.
- [a] einen Besuch
- [b] eine Verabredung
- [c] einen Termin

Wortliste „Körper, Gesundheit"

1. Welche Wörter kennen Sie? Kreuzen Sie an.
Suchen Sie die unbekannten Wörter im Wörterbuch.

die Angst ☐	der Arzt ☐	der Ärger ☐	der Alkohol ☐
die Apotheke ☐	der Arm ☐	das Auge ☐	der Bauch ☐
das Bein ☐	das Blut ☐	der Doktor ☐	das Ende ☐
die Erlaubnis ☐	das Fieber ☐	der Fuß ☐	das Gesicht ☐
das Gewicht ☐	die Grippe ☐	die Größe ☐	das Haar ☐
der Hals ☐	die Hand ☐	das Herz ☐	die Hand ☐
die Hilfe ☐	der Kopf ☐	der Körper ☐	die Krankheit ☐
die Krankenkasse ☐	das Krankenhaus ☐	die Kontrolle ☐	der Magen ☐
der Mund ☐	das Mittel ☐	das Medikament ☐	der Notfall ☐
der Notarzt ☐	die Operation ☐	die Praxis ☐	der Rücken ☐
das Rezept ☐	die Sprechstunde ☐	der Schnupfen ☐	die Schmerzen ☐
der Termin ☐	die Untersuchung ☐	der Unfall ☐	die Versicherung ☐
der Zahn ☐			

2. Wie heißen diese Wörter in Ihrer Muttersprache?

achtgeben	_____	vorsichtig	_____
verletzen	_____	gesund	_____
husten	_____	giftig	_____
bluten	_____	tot	_____
weh tun	_____	bitter	_____
erkältet sein	_____	dünn	_____
sich fühlen	_____	krank	_____
schwanger sein	_____	gefährlich	_____

Modul 3: Schreiben

Wortschatz „Reisen"

(Hilfe finden Sie in der Wortliste auf Seite 63.)

1. Sie wollen eine Reise machen. Was müssen Sie unbedingt vorher zu Hause noch tun? Was finden Sie wichtig, was finden Sie unwichtig? Kreuzen Sie an.

	wichtig	unwichtig
Reiseführer lesen		
Koffer packen		
Informationen im Internet suchen		
Hotel buchen		
Fotoapparat und Kamera einpacken		
Wohnung aufräumen		
Freunde informieren		
Liste der Sehenswürdigkeiten schreiben		
Reise-Versicherung unterschreiben		

2. Welche Antwort passt?

Satz	a	b	c	d	e	f	g	h
Antwort	3	–	–	–	–	–	–	–

a. Bitte eine Fahrkarte nach Dresden.	1. Es tut mir leid, aber bei uns können Sie nur Frühstück bekommen.
b. Im Prospekt steht, dass der Flug nach Tunesien nur 450 Euro kostet, inklusive Hotel. Ist das nicht toll?	2. Im Reiseführer steht, dass die Fähre zweimal am Tag fährt.
c. Ich möchte gern ein Doppelzimmer mit Halbpension.	3. Einfach oder hin und zurück?
d. Du kommst um 8.30 Uhr am Flughafen an, ich hole dich ab.	4. Weil du dann bei jeder Bahnfahrt 50% Ermäßigung bekommst.
e. Wie komme ich am besten zum Flughafen?	5. Ja, aber ich möchte lieber in Deutschland Urlaub machen.
f. Die „Bahncard" kostet 100 Euro. Warum soll ich die kaufen?	6. Um 14.33 Uhr auf Gleis 7.
g. Wie kommen wir auf die Insel? Gibt es von hier ein Schiff?	7. Sie können den Bus nehmen, der fährt jede halbe Stunde vor dem Bahnhof ab.
h. Wann habe ich Anschluss nach Potsdam?	8. Ich muss nach der Ankunft noch mein Gepäck holen, das dauert sicher eine halbe Stunde.

3. Kreuzen Sie an: Richtig oder Falsch ?

Traumurlaub auf Teneriffa

Müde vom Alltag?

Lassen Sie den Regen zu Hause, kommen Sie auf die Sonneninsel!

Das Hotel „Splendida" **** liegt direkt am Strand.

Alle Zimmer mit Meerblick und Balkon.

Unser Sonderangebot für Oktober / November:

Eine Woche Vollpension im Doppelzimmer pro Person € 450,00.

Information und Buchung: www.splendid.tenerife.es

	Richtig	Falsch
a. Auf Teneriffa scheint oft die Sonne.	☒	☐
b. Das Hotel liegt in der Nähe einer Stadt.	☐	☐
c. Das Hotel liegt am Meer.	☐	☐
d. Vom Balkon aus kann man das Meer sehen.	☐	☐
e. Im Herbst sind die Zimmer nicht so teuer wie im Sommer.	☐	☐
f. Im Hotel gibt es kein Restaurant.	☐	☐
g. Der Zimmerpreis ist inklusive Frühstück.	☐	☐
h. Man kann das Zimmer im Internet bestellen.	☐	☐

Modul 3: Schreiben

4. Welches Wort passt?

a. ausruhen – b. Spaß – c. Grüße – d. Strand – e. Prospekt – f. Gepäck – g. Taxi – h. geschlossen
~~i. Lieber~~ – j. Flug – k. schwimmen – l. langweilig – m. gewartet – n. unternehmen – o. Flugzeug
p. Leute – q. Jahr – r. Bushaltestelle – s. wunderschön – t. Diskothek – u. empfohlen

---

(1) _i_ Richard,

Du hast mir gesagt, dass Teneriffa (2) ____ ist, aber ich habe noch nicht viel gesehen, weil ich mich nach der Reise erst mal (3) ____ muss. Der Flug war schrecklich, weil das (4) ____ so voll war und weil alle Leute so viel (5) ____ mitgenommen haben. Zuerst haben wir zwei Stunden lang auf dem Flughafen (6) ____, weil die Maschine noch nicht da war, und dann war es so heiß im Flugzeug, schrecklich! Der (7) ____ war ja wirklich nicht teuer, aber so macht mir das Reisen keinen (8) ____!

Das Hotel ist auch nicht so toll; im (9) ____ hat es ja ganz gut ausgesehen, mit Schwimmbad und Garten und (10) ____. Also: die Diskothek ist (11) ____, der Garten ist sehr klein und im Schwimmbad sind immer so viele Kinder, dass man gar nicht (12) ____ kann.

Wenn ich in die Stadt fahren will, muss ich erstmal 20 Minuten zur (13) ____ laufen und der Bus fährt nur viermal am Tag, abends muss man ein (14) ____ nehmen.

Ich glaube nicht, dass ich hier viel (15) ____ kann. Wahrscheinlich werde ich jeden Tag ans Meer gehen und baden und am (16) ____ liegen.

Warst Du im letzten (17) ____ auch in diesem Hotel? Hast Du es hier nicht (18) ____ gefunden?

Warum hast Du mir diese Reise so dringend (19) ____?

Vielleicht kann ich morgen am Strand ja ein paar interessante (20) ____ kennenlernen!

Wir sehen uns, wenn ich wieder in Berlin bin, okay?

Liebe (21) ____ von
Christa

---

5. Was ist richtig? Kreuzen Sie an.

1 Am Sonntag wollen wir _a_ in den Keller-Wald machen.
- ☒ a einen Ausflug
- ☐ b einen Ausweis
- ☐ c einen Aufenthalt

2 Es wird heute regnen, vergiss ____ nicht!
- ☐ a den Koffer
- ☐ b den Schirm
- ☐ c den Führerschein

3 Ich möchte zum Heimatmuseum, können Sie mir bitte ____ zeigen?
- ☐ a die Karte
- ☐ b den Ort
- ☐ c den Weg

4 Ich nehme am Bahnhof ein Taxi, weil ____ sehr schwer ist.
- ☐ a mein Weg
- ☐ b mein Gepäck
- ☐ c meine Ankunft

5 Wir wollen im Sommer eine Radtour machen. Wir übernachten ____.
   a im Ausland
   b in der Halbpension
   c in der Jugendherberge

6 Ich glaube, der Zug kommt auf einem anderen Bahnsteig an. Hast du ____ nicht gehört?
   a den Anrufbeantworter
   b die Durchsage
   c die Sendung

7 Wenn Sie den Zug um 8.20 Uhr nehmen, haben Sie in Frankfurt sofort ____.
   a Anschluss
   b Aufenthalt
   c Ansage

8 Er darf nicht Auto fahren, er hat keinen ____.
   a Reisepass
   b Personalausweis
   c Führerschein

Wortliste „Reisen

1. Welche Wörter kennen Sie? Kreuzen Sie an.
Suchen Sie die unbekannten Wörter im Wörterbuch.

der Ausflug ☐	die Autofahrt ☐	die Reise ☐	die Fahrradtour ☐
die Wanderung ☐	der Rundgang ☐	die Bahn ☐	der Zug ☐
der Bus ☐	das Flugzeug ☐	das Schiff ☐	die Fähre ☐
der Ausweis ☐	der Pass ☐	der Führerschein ☐	das Ticket ☐
die Fahrkarte ☐	die Brieftasche ☐	die Geldbörse ☐	die Papiere ☐
das Ausland ☐	die Landschaft ☐	die Natur ☐	der Berg ☐
der Wald ☐	das Meer ☐	die Insel ☐	der See ☐
der Strand ☐	der Reiseführer ☐	die Sehens-	die Kirche ☐
das Rathaus ☐	das Schloss ☐	würdigkeit ☐	das Konsulat ☐
die Brücke ☐	die Stadtrundfahrt ☐	der Weg ☐	die Tasche ☐
der Koffer ☐	der Schirm ☐	die Kamera ☐	das Gepäck ☐
der Zoll ☐	der Bahnhof ☐	der Flughafen ☐	der Hafen ☐
das Gleis ☐	der Aufenthalt ☐	der Anschluss ☐	der Fahrkarten-
die Auskunft ☐	der Fahrplan ☐	die Durchsage ☐	automat ☐
die Ermäßigung ☐	die Verbindung ☐	das Hotel ☐	die Pension ☐
die Jugend-	die Ferienwohnung ☐	das Einzelzimmer ☐	das Doppel-
herberge ☐	die Vollpension ☐	die Halbpension ☐	zimmer ☐

2. Wie heißen diese Verben in Ihrer Muttersprache?

einpacken	_____	halten	_____
besichtigen	_____	übersetzen	_____
umsteigen	_____	übernachten	_____
buchen	_____	verpassen	_____
sich ausruhen	_____	unternehmen	_____
sich beeilen	_____	stattfinden	_____

Tipps zum Schreiben

Können Sie das schon gut? Bitte kreuzen Sie an.

	Das kann ich gut.	Das kann ich noch nicht.
Ich kann ein Formular ausfüllen. Zum Beispiel: eine Überweisung, eine Anmeldung im Hotel.		
Ich kann einen kurzen persönlichen Brief schreiben. Zum Beispiel: Sie schreiben, dass Sie an einem Ausflug teilnehmen wollen.		
Ich kann einfache persönliche Mitteilungen schreiben. Zum Beispiel: Sie entschuldigen sich, weil Sie zu spät kommen (SMS, E-Mail), Sie organisieren eine Verabredung mit einem Freund (E-Mail).		
Ich kann mit bekannten Wörtern einen kurzen Text schreiben. Zum Beispiel: Sie schreiben von Ihrer Familie, Sie schreiben über einen Freund / eine Freundin.		
Ich kann mit bekannten Wörtern eine Geschichte erzählen. Zum Beispiel: Was ist gestern passiert? Was haben Sie im letzten Urlaub gemacht?		

Sätze bauen

1. Ergänzen Sie die Satzzeichen (. / , / ! / ? / :).

Liebe Marion

ich freue mich sehr dass Du mich besuchen willst Erinnerst Du Dich noch an unser Wochenende in Berlin Da haben wir so viel gelacht dass ich Bauchschmerzen hatte Wenn Du jetzt kommst werden wir sicher wieder viel Spaß haben
Leider kann ich Dich am Freitag nicht abholen weil ich erst um fünf aus dem Büro komme Ich erkläre Dir den Weg zu meiner Wohnung es ist ganz einfach Du nimmst vor dem Bahnhof die Straßenbahn Linie 7 und steigst in der Erhardstraße aus Die erste Straße rechts ist dann schon die Blumenallee und unser Haus ist Nummer 24 Du musst bei „Hanssmann" klingeln meine Mutter ist zu Hause Sie weiß dass Du kommst und sie freut sich auch
Hast Du alles verstanden Wenn Du den Weg nicht findest kannst Du mich natürlich auch auf dem Handy anrufen
Am Freitagabend sind wir beide bei Jutta eingeladen Du hast Jutta im letzten Jahr kennengelernt Erinnerst Du Dich

Pass auf dass Du den Zug nicht verpasst
Ganz liebe Grüße von Gisela

2. Schreiben Sie die Sätze wie im Beispiel.

Beispiel: Wir können auf dem Balkon frühstücken. *Im Sommer können wir auf dem Balkon frühstücken.*	– im Sommer
a. Ich fahre mit der Straßenbahn zur Arbeit.	– morgens
b. Herr Meier geht mit seinem Hund spazieren.	– am Nachmittag
c. Wir wollen ans Meer fahren.	– am Sonntag
d. Eva und Christian wollen Urlaub machen.	– im Juli
e. Sie hat einen neuen Arbeitsplatz in Berlin.	– seit zwei Monaten
f. Ich bin bei meiner Freundin in Kassel.	– in der nächsten Woche

3. Schreiben Sie Sätze mit „wenn".

Du kannst mich anrufen, wenn du Fragen hast.	kannst – du – anrufen – mich / Fragen – hast – du – wenn
a.	mit – komm – doch / Lust – wenn – hast – du
b.	machen – einen Ausflug – wir / scheint – wenn – die Sonne – am Wochenende
c.	will – ich – das Pergamonmuseum – besuchen / in Berlin – ich – wenn – bin
d.	eine Gebühr – Sie – bezahlen – müssen / wir – wenn – ins Haus liefern – die Sachen – sollen
e.	billiger – 50 % – die Fahrt – ist / wenn – haben – eine „Bahncard" – Sie
f.	können – Sie – nur – sprechen – mit dem Arzt / einen Termin – Sie – haben – wenn

4. Schreiben Sie Sätze mit „dass" oder „weil".

Beispiel:

Gestern ist im Zentrum ein Unfall passiert. Das steht in der Zeitung.

In der Zeitung steht, dass gestern im Zentrum ein Unfall passiert ist.

Ich kann heute nicht ins Büro kommen. Ich habe eine Grippe.

Ich kann heute nicht ins Büro kommen, weil ich eine Grippe habe.

a. Ich suche eine neue Wohnung. Mein Apartment ist zu klein.

_____

b. Ich fahre im Urlaub nach Madrid. Ich will einen Spanischkurs machen.

_____

c. Das Hotel liegt direkt am Strand. Das habe ich im Prospekt gelesen.

_____

d. Ich kenne Brigitte wirklich sehr gut. Wir wohnen seit einem Jahr zusammen.

_____

e. Du musst das Medikament am Abend nehmen. Das hat der Arzt gesagt.

_____

f. Ich muss mich um Michaels Katze kümmern. Er ist in Urlaub gefahren.

_____

Texte bauen

1. Bringen Sie den Brief in die richtige Ordnung.

[a] Außerdem habe ich noch ein paar andere Fragen zu dem Zimmer: Wie groß ist es? Welche Möbel sind schon da? Ist das Zimmer hell? Kann ich die Küche benutzen?

[b] ich habe Ihre Anzeige im „Erfurter Anzeiger" gelesen.

[X] ~~Sehr geehrte Frau Niemeyer,~~

[d] In der Anzeige haben Sie nichts über die Miete geschrieben. Wie viel kostet das Zimmer pro Monat? Das ist für mich eine sehr wichtige Frage.

[e] Ich glaube, es ist wirklich am besten, wenn wir das am Telefon besprechen. Meine Telefonnummer: 0713 66598

[f] Mit freundlichen Grüßen
Katrin Suhrkamm

[g] Ich wünsche mir sehr, dass Sie mir bald antworten.

[h] Sie wollen ein Zimmer im Zentrum vermieten, das ist sehr interessant für mich, weil ich im nächsten Semester in Erfurt studieren werde.

1	2	3	4	5	6	7	8
c	–	–	–	–	–	–	–

2. Antworten Sie auf eine Anzeige.

Sie lesen im Supermarkt diese Anzeige:

Damenfahrrad zu verkaufen!

Ich möchte mein Fahrrad verkaufen.

Es ist ein rotes Bianchi-Damenfahrrad,
in sehr gutem Zustand.

Wenn Sie Interesse haben, schreiben Sie an:

Carola Schmidt, Kapuzinergasse 3

Antworten Sie:
– Sie interessieren sich für das Fahrrad.
– Sie fragen nach dem Preis.
– Sie möchten das Fahrrad sehen.

Benutzen Sie die folgenden Textteile:

Anzeige gelesen
möchte kaufen
wie viel soll es kosten?
wann kann ich es sehen?
am besten
meine Telefonnummer

Liebe Frau Schmidt,

_____

_____

_____

_____

_____

3. Schreiben Sie einen Antwortbrief.

Sie haben einen Brief von einer Freundin bekommen:

> *Liebe/r _____,*
>
> *am 15. Juni habe ich Geburtstag, ich werde dreißig Jahre alt. (Ist das nicht schrecklich?) Nun weiß ich ja, dass Du auch bald Geburtstag hast, und deshalb finde ich, dass wir zusammen feiern können.*
>
> *Ich habe gedacht, wir laden unsere Freunde zu einer Schifffahrt auf dem Rhein ein. Das ist nicht sehr teuer, wenn wir ein Gruppenticket nehmen. Wir können Musik machen und tanzen und natürlich auch etwas essen, was meinst Du?*
>
> *Ich schlage vor, dass wir unsere Geburtstage an einem Wochenende feiern, zum Beispiel am Samstag, 16. Juni.*
>
> *Bitte, antworte mir bald!*
>
> *Liebe Grüße von Erika*

Antworten Sie:

– Erikas Idee ist sehr gut.
– Sie schlagen Samstag, 23. Juni vor.
– Sie möchten zwei neue Freunde mitbringen.

Benutzen Sie die folgenden Textteile:

herzlichen Dank
ich finde Deinen Vorschlag
eine Schifffahrt auf dem Rhein ist
Spaß haben
leider am 16. Juni auf einer Dienstreise
am Samstag, 23. Juni feiern
Thomas und Elisabeth einladen
ich rufe Dich am Sonntag an

Liebe Erika,

_____

_____

_____

_____

_____

_____

Persönliche Daten

1. Füllen Sie das Formular aus.

Ihr Freund Eduard möchte an einem Englischkurs in der Volkshochschule teilnehmen. Schreiben Sie für Eduard die Informationen in das Formular.

Das wissen Sie von Eduard:

Er heißt Eduard Neumann und ist am 12.7.1972 in Königswinter geboren. Er ist verheiratet, hat aber keine Kinder. Von Beruf ist er Motorradmechaniker, er hat eine kleine Werkstatt.

Er wohnt in 79104 Freiburg, in der Beethovengasse 27, Telefon: 0761 349971.

Sie kennen Eduard schon lange. Sie wissen, dass er sehr gut Gitarre spielt und dass er seit zwei Jahren Englisch lernt. Außerdem macht er am Wochenende gern lange Spaziergänge, und noch etwas: Eduard will nichts von Computern oder Handys wissen, die findet er langweilig!

Volkshochschule Freiburg

Ich möchte das Programm der Volkshochschule kennenlernen.

Schicken Sie mir die Informationen bitte:

☐   per Post   (a)
☐   per E-Mail

Familienname: _____ (b)

Vorname: _____ (c)

Geburtsdatum: _____ (d)

Nationalität: _____ (e)

Familienstand: _____ (f)

Beruf: _____ (g)

Straße, Hausnummer: _____ (h)

PLZ, Wohnort: _____ (i)

Telefon: _____ (j)

E-Mail: _____ (k)

Kurswunsch: _____ (l)

Vorkenntnisse: _____ (m)

Hobbys: _____ (n)

2. Schreiben Sie über einen Freund.

Sie erzählen in einem Brief von Ihrem Freund Eduard. Benutzen Sie die Informationen aus der Übung Nr. 1.

Mein Freund heißt Eduard Neumann.	Wie heißt er?
	Wie alt ist er?
	Was ist er von Beruf?
	Ist er ledig?
	Wo wohnt er?
	Was macht er in seiner Freizeit?
	Hat er besondere Interessen?
	Was mag er nicht?

Übungen zum Schreiben

Schreiben Teil 1: Formular

Beispiel:
Ihre Freundin Lucia Lazzari aus Bari möchte im Internet einen Flug buchen. Schreiben Sie die fehlende Information in das Formular.

1. Ihr französischer Freund Michel Ferraud sucht über das Internet eine Wohnung. Er möchte sechs Monate in Weimar bleiben.

Schreiben Sie die fünf fehlenden Informationen in das Formular.

```
Name: Ferraud
Vorname: Michel
geb. am 12.06.1976
in: Bordeaux
wohnhaft in: 23, rue de la gare,
33700 Mérignac, France
```

MICHEL FERRAUD

23, RUE DE LA GARE,
33700 MÉRIGNAC, FRANCE
TEL: 05 5634389
FAX: 05 5633389
E-MAIL: MFERRAUD@WANADOO.FR

Michel will in Weimar einen Sprachkurs besuchen, weil Deutschkenntnisse für seinen Beruf wichtig sind. Er sucht eine kleine Wohnung, vielleicht ein oder zwei Zimmer. Es ist wichtig, dass er in der Wohnung am Computer arbeiten kann. Michel hat kein Auto.

www.weimar.mieten.net

Willkommen auf dem größten Wohnungsmarkt in Weimar!
Füllen Sie bitte das Formular sorgfältig aus.

Familienname:	Ferraud
Vorname:	Michel
Nationalität:	(1)
Straße, Hausnummer:	23, rue de la gare
PLZ, Ort:	(2)
E-Mail:	(3)
Wo soll die Wohnung sein?	Im Zentrum
Wie groß soll die Wohnung sein?	(4)
Wie lange brauchen Sie die Wohnung?	(5)

2. Ihre Freundin Anetta Strzybovic aus Krakau sucht in Deutschland einen Job als Verkäuferin oder Kellnerin.

Schreiben Sie die fünf fehlenden Informationen über Anetta in das Formular.

```
Name: Strzybovic
Vorname: Anetta
geb. am 13.01.1985 in: Krakau
wohnhaft in: Rynek Cuba 14,
31008 Krakau (Polen)
Tel: 012 4775849
E-Mail: anettastr@yahoo.pl
```

Anetta spricht ziemlich gut Deutsch, sie hat im letzten Jahr sechs Monate als Au-pair-Mädchen in einer deutschen Familie in Magdeburg gearbeitet. Anetta möchte in Krakau Fremdsprachen studieren, jetzt sucht sie einen Job für den Sommer.

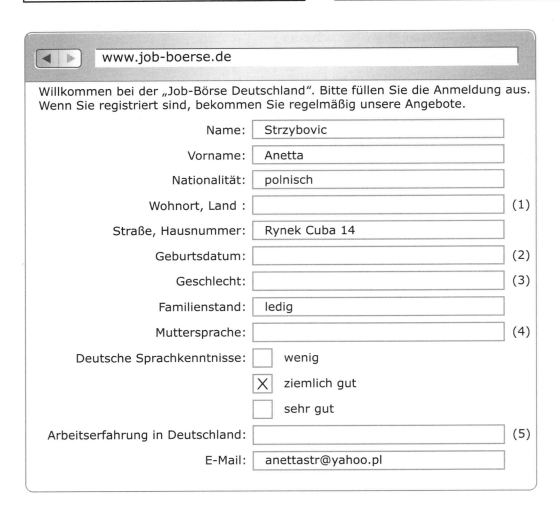

www.job-boerse.de

Willkommen bei der „Job-Börse Deutschland". Bitte füllen Sie die Anmeldung aus. Wenn Sie registriert sind, bekommen Sie regelmäßig unsere Angebote.

Name:	Strzybovic
Vorname:	Anetta
Nationalität:	polnisch
Wohnort, Land :	(1)
Straße, Hausnummer:	Rynek Cuba 14
Geburtsdatum:	(2)
Geschlecht:	(3)
Familienstand:	ledig
Muttersprache:	(4)

Deutsche Sprachkenntnisse: ☐ wenig
☒ ziemlich gut
☐ sehr gut

Arbeitserfahrung in Deutschland: _____ (5)

E-Mail: anettastr@yahoo.pl

Schreiben Teil 2: Kurzmitteilung

Beispiel:
Sie bekommen eine Nachricht von Ihrem Freund Stefan. Er lädt Sie zu seiner Geburtstagsparty am Samstag ein. Stefan möchte wissen, ob Sie kommen. Antworten Sie, schreiben Sie ca. 40 Wörter.

Hier finden Sie vier Inhaltspunkte, wählen Sie drei aus. Schreiben Sie zu jedem Punkt ein bis zwei Sätze.

– helfen
– etwas mitbringen
– Uhrzeit
– Gäste

Mögliche Lösung: 51 Wörter

Lieber Stefan,
herzlichen Dank für die Einladung! Natürlich komme ich gern zu Deiner Geburtstagsparty. Wenn Du willst, kann ich am Nachmittag kommen und Dir helfen. Ich kann auch einen Obstsalat und eine Torte mitbringen. Was meinst Du?
Wie viele Gäste hast Du denn eingeladen? Kommt Sylvia auch?
Am besten sprechen wir darüber am Telefon, ich rufe Dich an.
Bis bald, Angelika

1.
Sie bekommen einen Brief von Ihrer Freundin Elisabeth. Sie schreibt, dass sie Ende November nach Leipzig umzieht. Sie hat eine neue Arbeit gefunden. Elisabeth möchte, dass Sie sie in Leipzig besuchen.

Antworten Sie. Hier finden Sie vier Inhaltspunkte, wählen Sie drei aus. Schreiben Sie zu jedem Punkt ein bis zwei Sätze.

– neue Arbeit
– neue Wohnung
– Übernachtung in Leipzig
– etwas mitbringen

_____
_____
_____
_____
_____

2.

Sie bekommen eine E-Mail von Miguel. Sie kennen Miguel aus dem Deutschkurs. Er schreibt, dass er am Wochenende eine Fahrradtour organisieren will. Miguel lädt Sie ein und möchte wissen, ob Sie mitmachen.

Antworten Sie. Hier finden Sie vier Inhaltspunkte, wählen Sie drei aus. Schreiben Sie zu jedem Punkt ein bis zwei Sätze.

– Dauer

– jemanden mitbringen

– Mittagessen

– Regen

3.

Sie schreiben einen Brief an Ihre neue Vermieterin, Frau Wiegand. Im nächsten Monat werden Sie bei Frau Wiegand einziehen. Das Zimmer haben Sie schon gesehen und es gefällt Ihnen gut. Sie haben aber noch ein paar Fragen an Frau Wiegand.

Schreiben Sie einen Brief von ca. 40 Wörtern. Hier finden Sie vier Inhaltspunkte, wählen Sie drei aus. Schreiben Sie zu jedem Punkt ein bis zwei Sätze.

– Heizung

– kochen

– Besuch

– Musik

4.

Sie bekommen eine Nachricht von Ihren Freunden Herrmann und Karla. Die beiden wollen in Urlaub fahren und suchen für drei Wochen einen „dog-sitter" für ihren Hund Sissy. Sie kennen den Hund, Sie finden ihn sehr sympathisch, aber Ihre Wohnung ist zu klein.

Antworten Sie. Hier finden Sie vier Inhaltspunkte, wählen Sie drei aus. Schreiben Sie zu jedem Punkt ein bis zwei Sätze.

– kleine Wohnung

– Garten

– Arbeit

– Essen

_____

_____

_____

_____

_____

_____

5.

Sie wollen im September in Dresden Urlaub machen. Sie schreiben an das Verkehrsamt der Stadt Dresden und bitten um Informationen.

Hier finden Sie vier Inhaltspunkte. Wählen Sie drei aus. Schreiben Sie zu jedem Punkt ein bis zwei Sätze.

– Urlaub: Wann?

– billiges Hotel

– Museum

– Konzerte

_____

_____

_____

_____

_____

_____

Der Test „Schreiben" für die Niveaustufe A2 dauert ca. 30 Minuten und hat zwei Teile (ein Formular, einen Brief). Eine „echte Prüfung" finden Sie in Modul 5: Simulation Goethe-Zertifikat A2/Start Deutsch 2 auf Seite 103.

Modul 4: Sprechen

Übungen zum Wortschatz

Wortschatz „Termine, Verabredungen"
(Hilfe finden Sie in der Wortliste auf Seite 79.)

1. Ergänzen Sie die Tabelle.

am Tag	
	morgens
am Mittag	
	nachts

am Montag	
	dienstags
	samstags

2. Schreiben Sie Antworten auf die Frage „Wann?"

Beispiel:

 So 4.12. 16:30 — Am Sonntag, 4. Dezember, am Nachmittag um halb fünf.

a. **Di 5.03.** 08:15 _____

b. **Sa 16.06.** 14:45 _____

c. **Mi 22.10.** 20:00 _____

d. **Fr 14.11.** 00:30 _____

e. **Mo 30.03.** 11:45 _____

f. **Do 28.05.** 16:20 _____

3. Schreiben Sie das Gegenteil.

anfangen	_____	immer	_____
dagegen sein	_____	kompliziert	_____
den Zug erreichen	_____	leicht	_____
sich erinnern	_____	sofort	_____
da sein	_____	zuerst	_____

4. In den Sätzen a–l sind zwei Dialoge: „Auf der Straße" und „Am Telefon".

Schreiben Sie zuerst beide Dialoge ins Heft. Ergänzen Sie dann die Buchstaben.

a̲ Am besten morgen, am Samstag, da bin ich den ganzen Vormittag zu Hause.

b̲ Gut, meine Nummer ist: 160 933 84 660, hast du sie?

☒ ~~Hallo Gunnar, das ist ja toll! Wie lange haben wir uns nicht mehr gesehen?~~

d̲ Morgen ist Montag, da geht es nicht so gut, ich muss nach Hannover. Aber übermorgen bin ich wieder da. Gib mir doch deine Handynummer, dann rufe ich dich an.

☒ ~~Speditionsfirma Eisenmann, guten Tag.~~

f̲ Es tut mir leid, Frau Hardenberg, am Wochenende arbeiten wir nicht.

g̲ Ja, dann geht es nur am Montagnachmittag, aber nicht vor 17.00 Uhr.

h̲ Nein, ich bin nur für ein paar Tage hier. Ich finde, wir sollten zusammen etwas unternehmen. Wann hast du Zeit?

i̲ Frau Hardenberg, Wiesenstraße 25? Wir haben eine Lieferung für Sie, zwei große Pakete. Wann können wir die liefern?

j̲ Hallo Peter, ich weiß es auch nicht so genau, aber sag mal, wohnst du jetzt hier in Hamburg?

k̲ Guten Tag, ich bin Frau Hardenberg. Ich habe eine Nachricht von Ihnen auf dem Anrufbeantworter gefunden. Was ist denn los?

l̲ Alles klar, Peter, ich muss mich jetzt beeilen, aber am Dienstag ruf ich dich an und dann treffen wir uns.

Auf der Straße

1 c

2 ☐

3 ☐

4 ☐

5 ☐

6 ☐

Am Telefon

1 e

2 ☐

3 ☐

4 ☐

5 ☐

6 ☐

5. Was ist richtig? Kreuzen Sie an.

1 Der Zug hat 30 Minuten ____.
- ☒ Verspätung
- [b] Anschluss
- [c] Auskunft

2 Ich habe meinen Schirm im Zug vergessen. Was soll ich machen? – Fragen Sie ____.
- [a] im Geschäft
- [b] in der Beratung
- [c] im Fundbüro

3 Am besten, Sie ____ einen Termin mit meiner Sekretärin.
- [a] ankreuzen
- [b] vereinbaren
- [c] bedeuten

4 Die Führung beginnt um 8.30, kommen Sie bitte ____.
- [a] plötzlich
- [b] dringend
- [c] pünktlich

5 Ich kann morgen leider nicht kommen, wir müssen unsere Verabredung ____.
- [a] verschieben
- [b] verpassen
- [c] verschieden

6 Meine Wohnung wird gerade renoviert, deshalb wohne ich ____ bei einer Freundin.
- [a] sofort
- [b] vorher
- [c] zurzeit

7 Ich muss eine Stunde warten, ich habe den ersten Zug ____.
- [a] versucht
- [b] verpasst
- [c] verloren

8 Weißt du die Adresse noch? – Ja, ich habe mir eine ____ gemacht.
- [a] Rechnung
- [b] Notiz
- [c] Anzeige

6. Ergänzen Sie die fehlenden Wörter.

a. Verabredung b. dringend
c. fleißige d. verabreden
e. Übersetzung f. wenigstens
g. Hallo h. treffen i. leid

Information — Eingang

E-Mail(s) löschen   Ist Werbung   Antworten   An alle   Weiterleiten   Drucken

Von: jseidenmann@interfree.de

An: john.winter@aol.com

(1) _g_ John,

es tut mir (2) ____, aber ich kann morgen nicht zu unserer (3) ____ kommen!

Ich muss eine schrecklich komplizierte (4) ____ fertig machen, die Sache ist sehr (5) ____. Schade, dass wir uns nicht (6) ____ können – aber (7) ____ wird die Arbeit gut bezahlt!

Vielleicht können wir uns ja für das Wochenende (8) ____, was meinst Du?

Deine sehr (9) ____ Jutta

Wortliste „Termine, Verabredungen"

1. Welche Wörter kennen Sie? Kreuzen Sie an.
Suchen Sie die unbekannten Wörter im Wörterbuch.

die Anmeldung ☐	die Anzeige ☐	der Anruf-beantworter ☐	der Anschluss ☐
der Aufenthalt ☐	der Besuch ☐	das Datum ☐	der/die Bekannte ☐
die Beratung ☐	der Betrag ☐	das Fundbüro ☐	die Dauer ☐
der Fahrplan ☐	die Frist ☐	der Kunde ☐	der Glückwunsch ☐
die Kneipe ☐	der Kontakt ☐	die Quittung ☐	der Notfall ☐
die Notiz ☐	der Ort ☐	das Jahr ☐	der Rabatt ☐
der Termin ☐	die Uhr ☐	der Tag ☐	die Jahreszeit ☐
der Monat ☐	die Woche ☐	der Feiertag ☐	die Tageszeit ☐
die Nacht ☐	der Werktag ☐		Ostern ☐
Weihnachten ☐			

2. Wie heißen diese Wörter in Ihrer Muttersprache?

bald	_____	vorgestern	_____
eilig	_____	meistens	_____
gleich	_____	der nächste	_____
pünktlich	_____	vorher	_____
plötzlich	_____	dringend	_____
befristet	_____	fertig	_____
hoffentlich	_____	ab morgen	_____
spät	_____	wenigstens	_____
sofort	_____	oft	_____
früher	_____	zurzeit	_____
mindestens	_____	zuletzt	_____
manchmal	_____	täglich	_____

3. Wie heißen diese Verben in Ihrer Muttersprache?

anfangen	_____	weg sein	_____
aufhören	_____	vereinbaren	_____
sich beeilen	_____	notieren	_____
sich anmelden	_____	verpassen	_____
verabredet sein	_____	verschieben	_____

Wortschatz „Verkehr"
(Hilfe finden Sie in der Wortliste auf Seite 82.)

1. Ergänzen Sie die Tabelle.

Zug	Auto	Straße
der Bahnhof	parken	die Ampel

2. Kreuzen Sie an: ⌷Richtig⌷ oder ⌷Falsch⌷ ?

1) Bahnhof
2) Kirche
3) Rathaus
4) Supermarkt
5) Post
6) Apotheke
7) Bäckerei
8) Parkplatz
9) Haltestelle
10) Ampel

	Richtig	Falsch
a. Der Supermarkt ist in der Waldstraße.	☐	☒
b. Das Rathaus steht neben der Kirche.	☐	☐
c. Die Post ist an der Kreuzung Goethestraße und Blumenstraße.	☐	☐
d. Am Marktplatz ist das Rathaus und die Apotheke ist genau gegenüber.	☐	☐
e. Die Straßenbahn hält vor der Bäckerei.	☐	☐
f. Es gibt einen Parkplatz neben dem Supermarkt.	☐	☐
g. An der Ecke Blumenstraße und Domgasse steht eine Ampel.	☐	☐
h. Der Bahnhof liegt weit außerhalb der Stadt.	☐	☐

3. Beschreiben Sie den Weg.

Benutzen Sie den Stadtplan aus Übung 2. Sie stehen vor dem Bahnhof.

Beispiel:

Wie kommen Sie am besten zur Kirche?

Ich gehe geradeaus bis zur Hauptstraße, dann über die Hauptstraße und weiter geradeaus durch die Blumenstraße, da ist die Kirche.

a. Wie kommen Sie zum Supermarkt?

_____

b. Wie kommen Sie zum Rathaus?

_____

c. Wie kommen Sie zur Post?

_____

d. Wie kommen Sie zur Apotheke?

_____

4. Welche Antwort passt?

Satz	a	b	c	d	e	f	g
Antwort	3	_	_	_	_	_	_

a. Wo kann ich parken?	1. Erste oder zweite Klasse?
b. Dieser Fahrkartenautomat ist sehr kompliziert. Können Sie mir bitte helfen?	2. Beim Supermarkt ist eine Tankstelle.
c. Wie kann man auf die Insel kommen?	3. Am Marktplatz ist ein Parkhaus.
d. Bitte zwei Fahrkarten nach Lübeck, einfache Fahrt.	4. Es gibt eine Fähre.
e. Zeigen Sie mir bitte einen Ausweis.	5. Ja, gern. Wohin wollen Sie fahren?
f. Ich glaube, wir haben nicht mehr viel Benzin.	6. Ich glaube, am Anfang war ein M und dann 77, mehr weiß ich nicht.
g. Haben Sie das Kennzeichen des Autos gesehen?	7. Ich habe nur den Führerschein bei mir, ist das genug?

Modul 4: Sprechen

5. Was ist richtig? Kreuzen Sie an.

1 Ich suche die Waldstraße, hast du __c__ ?
- [a] einen Fahrplan
- [b] einen Bildschirm
- [X] einen Stadtplan

2 Ich hole dich ab, ich warte ____.
- [a] auf dem Gleis
- [b] auf dem Bahnsteig
- [c] im Verkehr

3 Es tut mir leid, dass wir zu spät kommen, wir hatten ____.
- [a] eine Panne
- [b] einen Reifen
- [c] ein Bremslicht

4 Herr Meyer ist im Krankenhaus, er hatte auf der Autobahn ____.
- [a] eine Krankheit
- [b] eine Verspätung
- [c] einen Unfall

5 Auf der Straße war sehr viel Schnee, ich konnte nicht mehr ____.
- [a] behalten
- [b] bremsen
- [c] brauchen

6 Die Reparatur ist sehr teuer, hoffentlich bezahlt das ____.
- [a] die Steuer
- [b] die Gebühr
- [c] die Versicherung

7 Wenn Sie hier die S-Bahn nehmen, müssen Sie am Hauptbahnhof in die U-Bahn ____.
- [a] aussteigen
- [b] umsteigen
- [c] ankommen

8 Gibt es hier eine Brücke? – Nein, Sie müssen ____ nehmen.
- [a] den Zug
- [b] die Fähre
- [c] den Bus

Wortliste „Verkehr"

1. Welche Wörter kennen Sie? Kreuzen Sie an.
Suchen Sie die unbekannten Wörter im Wörterbuch.

die Achtung ☐	die Ampel ☐	der Anschluss ☐	der Aufenthalt ☐
die Autobahn ☐	der Automat ☐	der Bahnsteig ☐	der Bildschirm ☐
die Brücke ☐	das Benzin ☐	das Bremslicht ☐	die Durchsage ☐
die Ermäßigung ☐	der Führerschein ☐	die Feuerwehr ☐	die Gebühr ☐
die Haltestelle ☐	die 2. Klasse ☐	das Kennzeichen ☐	der Kreis ☐
die Kreuzung ☐	das Kfz (Kraftfahrzeug) ☐	der Pkw (Personenkraftwagen) ☐	der Lkw (Lastkraftwagen) ☐
das Öl ☐	die Papiere ☐	der Parkplatz ☐	der Reifen ☐
die Panne ☐	das Schiff ☐	die S-Bahn ☐	die U-Bahn ☐
die Fähre ☐	die Tankstelle ☐	der Unfall ☐	der Verkehr ☐
die Straßenbahn ☐	die Versicherung ☐	die Steuer ☐	die Polizei ☐
das Verkehrsschild ☐			

2. Wie heißen diese Wörter in Ihrer Muttersprache?

achtgeben	_____	kostenlos	_____
bremsen	_____	hin und zurück	_____
halten	_____	rückwärts	_____
parken	_____	geradeaus	_____
erreichen	_____	rechts	_____
umsteigen	_____	gegenüber	_____

Wortschatz „Ausbildung, Lernen"
(Hilfe finden Sie in der Wortliste auf Seite 86.)

1. Kreuzen Sie an: Richtig oder Falsch ?

Sprachenschule »European Progress«

☞ Alle europäischen Sprachen!

☞ Kleine Gruppen oder Einzelunterricht

☞ Unterrichtszeiten wie es Ihnen passt

☞ Wenn Sie wollen, kommen wir zu Ihnen nach Hause
oder in die Firma.

Beratung: Mo., Di. und Mi. von 10.00–13.00 Uhr
Information: **www.europrogress.de**

	Richtig	Falsch
a. Das ist eine Berufsschule.	☐	☒
b. In dieser Schule kann man auch Spanisch lernen.	☐	☐
c. In der Mittagszeit gibt es keinen Sprachunterricht.	☐	☐
d. Die Lerngruppen sind ziemlich groß.	☐	☐
e. Wenn man will, kommt der Lehrer auch nach Hause.	☐	☐
f. Am Montagnachmittag ist das Büro der Sprachenschule geöffnet.	☐	☐
g. Auskünfte bekommt man nur per Telefon.	☐	☐

Modul 4: Sprechen

83

2. Welche Antwort passt?

Satz	a	b	c	d	e	f	g
Antwort	5	–	–	–	–	–	–

a. Wann findet die Prüfung statt?	1. Tut mir leid, ich habe keinen. Willst du vielleicht einen Kugelschreiber?
b. Haben Sie auch schon Berufserfahrung?	2. Ja, das stimmt, für welchen Kurs interessieren Sie sich?
c. Kannst du mir vielleicht einen Bleistift leihen?	3. Dann musst du sofort eine Bewerbung schreiben!
d. Wie sieht denn dein Zeugnis aus?	4. Ich habe natürlich die Lehre gemacht und dann war ich ein Jahr lang in Amerika im Praktikum.
e. Ich finde diese Aufgabe sehr schwer. Hast du die Lösung gefunden?	5. Am Ende des Kurses.
f. Im Prospekt steht, dass auch am Nachmittag Unterricht ist.	6. Das ist doch ganz leicht, ich kann dir einen Tipp geben.
g. In der „Abendzeitung" steht eine sehr interessante Stellenanzeige.	7. Ich habe ziemlich gute Noten.

3. Ergänzen Sie das Gegenteil.

a. intelligent _____

b. interessant _____

c. schwer _____

d. einfach _____

e. geöffnet _____

f. langsam _____

g. lang _____

h. leise _____

i. traurig _____

j. falsch _____

k. billig _____

l. hell _____

4. Welches Wort passt?

a. Deutsche b. Deutsch c. Deutschland d. Wohnung e. essen f. dunkel g. gesagt h. Dörfer
i. Landschaft j. Kontakt bleiben k. Argentinien l. Schluss m. Ecke n. Kurs o. nach Hause
p. Wochen q. gelernt r. Musik machen s. Liebe t. denn u. getroffen v. Hausaufgaben

(1) _s_ Eva,

jetzt bin ich schon seit drei (2) _____ in Oxford. Also, sehr viel Englisch habe ich bisher noch nicht (3) _____. Es sind ziemlich viele (4) _____ hier – ja, ich weiß schon, was Du denkst. Du hast immer (5) _____, dass ich lieber nach Manchester fahren soll!

Aber HIER habe ich MANUEL (6) _____!!!

Manuel kommt aus (7) _____, aber seine Mutter ist Schweizerin, deshalb spricht er perfekt (8) _____. Er will später vielleicht auch in (9) _____ studieren, aber erst will er gut Englisch lernen. Manuel besucht denselben (10) _____ wie ich. Wir sind jeden Tag zusammen, wir machen (11) _____ und erzählen viel (oft auf Englisch!), ich bin wirklich sehr glücklich. Manchmal kocht Manuel, aber meistens (12) _____ wir in einer kleinen Kneipe an der (13) _____. Ich habe auch schon ein bisschen Spanisch gelernt.

Am letzten Wochenende waren wir auf dem Land und haben kleine, sehr englische (14) _____ gesehen, wir sind durch die grüne (15) _____ gewandert. Ich finde diese Sprachferien wunderbar!

Mein Zimmer ist nicht so gut: Es ist sehr (16) _____ und ich darf nicht kochen und keine (17) _____. Bei Manuel ist es viel besser. Er ist schon seit zwei Monaten hier und hat eine (18) _____ zusammen mit drei anderen Studenten.

In einer Woche muss ich wieder (19) _____ fahren. Ich finde das schrecklich, (20) _____ Manuel bleibt noch bis September hier.

Aber wir wollen in (21) _____, über Telefon und E-Mail.

So, jetzt muss ich (22) _____ machen, wir gehen heute Abend ins Kino.

Ganz liebe Grüße
von Gisela

5. Was ist richtig? Kreuzen Sie an.

1 Sie müssen die richtige Antwort _c_ .
- [a] anmelden
- [b] antworten
- [X] ankreuzen

2 Übertragen Sie die Lösung bitte auf ____.
- [a] den Antwortbogen
- [b] den Kugelschreiber
- [c] die Übung

3 Bei der Lufthansa gibt es Praktikumsplätze, hast du deine ____ schon abgeschickt?
- [a] Einführung
- [b] Bewerbung
- [c] Beratung

4 Ich habe die Prüfung mit einer guten Note ____.
- [a] ausgefüllt
- [b] bestanden
- [c] beantwortet

5 Sie müssen das Formular mit ____ ausfüllen.
- [a] einem Blatt
- [b] einem Kugelschreiber
- [c] einem Zettel

6 Er hat eine sehr gute ____, sicher wird er bald eine Arbeitsstelle finden.
- [a] Mitteilung
- [b] Kündigung
- [c] Ausbildung

7 Ich muss die Prüfung noch einmal machen. Ich habe zu viele ____ gemacht.
- [a] Lösungen
- [b] Antworten
- [c] Fehler

8 Können Sie die Frage bitte ____?
- [a] wiederholen
- [b] verstehen
- [c] kennenlernen

Wortliste „Ausbildung, Lernen"

1. Welche Wörter kennen Sie? Kreuzen Sie an.
Suchen Sie die unbekannten Wörter im Wörterbuch.

die Ausbildung ☐	die Aufgabe ☐	die Aussage ☐	der Arbeitsplatz ☐
die Ausstellung ☐	der Beruf ☐	die Beratung ☐	die Bewerbung ☐
das Blatt ☐	der Bleistift ☐	der Bogen ☐	das Buch ☐
der Computer ☐	der Drucker ☐	das Internet ☐	die E-Mail ☐
die Einführung ☐	die Erfahrung ☐	die Fabrik ☐	der Fehler ☐
das Formular ☐	die Hausaufgabe ☐	die Hilfe ☐	der Inhalt ☐
der Job ☐	der Kalender ☐	die Kenntnisse ☐	die Kontrolle ☐
der Kugel-schreiber ☐	der Kurs ☐	die Lehre ☐	der Lehrer ☐
	die Lehrerin ☐	die Meinung ☐	die Mitteilung ☐
der Zettel ☐	die Nachricht ☐	die Note ☐	das Papier ☐
das Problem ☐	das Praktikum ☐	der Prospekt ☐	die Prüfung ☐
der Test ☐	der Tipp ☐	die Schule ☐	die Übung ☐
die Lösung ☐	das Zeugnis ☐	die Universität ☐	der Unterricht ☐
die Zeitung ☐	die Zeitschrift ☐		

2. Wie heißen diese Verben in Ihrer Muttersprache?

ankreuzen	_____	leihen	_____
sich anmelden	_____	notieren	_____
aufpassen	_____	recht haben	_____
benutzen	_____	sich unterhalten	_____
bestehen	_____	übersetzen	_____
buchstabieren	_____	verstehen	_____
erklären	_____	wiederholen	_____
ergänzen	_____	zeigen	_____

Tipps zum Sprechen

Können Sie das schon gut? Bitte kreuzen Sie an.

	Das kann ich gut.	Das kann ich noch nicht.
Ich kann mit bekannten Wörtern Personen, Orte und Dinge beschreiben. Zum Beispiel: „Meine Heimatstadt ist nicht groß, es gibt einen Fluss und viele Parks. Das Leben ist sehr ruhig."		
Ich kann sagen, was ich gern mag und was ich nicht mag. Zum Beispiel: „Ich finde das Kursbuch langweilig, weil die Texte nicht interessant sind. Sie sprechen immer von Sport, Reisen und Freizeit."		
Ich kann erzählen, was gestern oder im letzten Jahr passiert ist. Zum Beispiel: „Im Sommer habe ich in England einen Sprachkurs gemacht. Ich war vier Wochen in Oxford, es hat mir gut gefallen."		
Ich kann jemanden einladen oder mit jemandem eine Verabredung machen. Zum Beispiel: „Möchtest du am Sonntag mit mir ins Theater gehen? Ich habe von meiner Mutter zwei Eintrittskarten bekommen. Wir treffen uns um halb acht vor dem Theater."		
Ich kann Dinge beschreiben und vergleichen. Zum Beispiel: „Mein neues Auto ist kleiner als das alte, aber es ist praktischer in der Stadt. Ich kann leichter einen Parkplatz finden."		
Ich kann eine unbekannte Person ansprechen und etwas fragen. Zum Beispiel: „Entschuldigen Sie, können Sie mir sagen, wo die Straßenbahn Nummer 10 abfährt?"		
Ich kann in bekannten Situationen Fragen stellen und ich kann auf Fragen antworten. Zum Beispiel: „Wo haben Sie Ihren Freund kennengelernt?" – „Bei der Arbeit." Oder „Was ist Ihr Lieblingsessen?" – „Ich esse gern Gemüsesuppe."		

Modul 4: Sprechen

	Das kann ich gut.	Das kann ich noch nicht.
Ich kann von meiner Arbeit und von meiner Freizeit erzählen. Zum Beispiel: „Ich arbeite in einem Reisebüro. Wir organisieren Reisen nach Südamerika und nach Asien. Im Winter war ich mit einer Gruppe in Thailand. Fremde Sprachen sind mein Hobby."		
Ich kann in einer bekannten Situation meine Meinung sagen. Zum Beispiel: „Diesen Film möchte ich nicht sehen. Ich habe in der Zeitung gelesen, dass da alle Personen verrückt sind und dass nichts passiert. Sie sprechen immer nur, das finde ich langweilig."		
Ich kann Vorschläge machen und ich kann auf Vorschläge reagieren. Zum Beispiel: „Wir können uns am Nachmittag treffen und zusammen ein Geschenk kaufen. Wenn du keine Zeit hast, kannst du mir das Geld geben und ich gehe allein einkaufen."		

Sätze bauen

1. Kreuzen Sie an und antworten Sie auf die Fragen.

Sprechen Sie die Antwort zuerst laut, dann schreiben Sie.

	Ja/Nein-Antwort (1)	Information (2)
Beispiel: Wann stehst du morgens auf? *Ich stehe immer sehr früh auf, um halb sechs.*	☐	☒
Frühstückst du immer zu Hause? *Ja, aber im Büro trinke ich dann noch einen Kaffee.*	☒	☐
a. Was machst du in der Mittagspause? _____	☐	☐
b. Wo isst du zu Mittag? _____	☐	☐
c. Wohin gehst du nach der Arbeit? _____	☐	☐
d. Hast du viel Freizeit? _____	☐	☐

	Ja/Nein- Antwort (1)	Information (2)
e. Was machst du in der Freizeit?	☐	☐
f. Wie oft triffst du deine Freunde?	☐	☐
g. Bleibst du abends gern zu Hause?	☐	☐
h. Wie lange siehst du abends fern?	☐	☐

2. Schreiben Sie die Frage.

a. Gehst du morgen mit mir ins Kino?   Nein, morgen habe ich keine Zeit.

b. W_____?   Ich komme aus Schweden.

c. _____?   Nein, ich wandere nicht gern.

d. _____?   Gärtnerstraße 27.

e. _____?   Ich bin 27.

f. _____?   Ja, ich esse gern Spaghetti.

g. _____?   Nein, ich habe schon so viele Pullover.

3. Welches Fragewort passt?

Was machen Sie am Wochenende?	1) Was	2) Wie
a. _____ ist Herr Hartmann gegangen?	1) Wo	2) Wohin
b. _____ haben Sie Frau Maurer kennengelernt?	1) Wann	2) Wie lange
c. _____ wohnen Sie schon hier?	1) Wo	2) Wie lange
d. _____ essen Sie im Restaurant?	1) Wie oft	2) Wie alt
e. _____ ist Ihre Wohnung?	1) Wie groß	2) Wie lange
f. _____ wollen Sie in Urlaub fahren?	1) Wo	2) Mit wem
g. _____ finden Sie mein neues Kleid?	1) Was	2) Wie
h. _____ sind Sie gestern nicht gekommen?	1) Warum	2) Woher

4. Wo passen diese Wörter? Ergänzen Sie die Tabelle.

Einige Wörter passen zu zwei oder drei Themen. Schreiben Sie die Substantive mit Artikel.

Hausaufgabe · Sport · Schrank · Angestellte · Ampel · Kündigung · Natur · Mülltonne · Wetter · Bewerbung · U-Bahn · Fahrplan · Zeugnis · Zeitschrift · Berg · Firma · Prüfung · Ausflug · Chef · Erdgeschoss · Schnee · Wald · Keller · Dach · Kurs · Lehre · See · Heizung · Landschaft · Note · Kneipe · Sehenswürdigkeit · Vertrag · Miete · Haltestelle · Kollege · Unterricht · Sonne · Briefkasten · Strand · Fahrrad · Verein · Lohn · Übung · Aufzug · Hund · Schwimmbad · Export · Treppe · Reifen

Umwelt	Freizeit	Wohnen	Arbeit	Verkehr	Lernen
die Natur			der/die Angestellte		

5. Finden Sie Fragen zu den Themen. Benutzen Sie die Fragewörter.

Sprechen Sie die Fragen zuerst laut, dann schreiben Sie.

Beispiel:

Gesundheit – Warum?

Warum machen Sie Sport? Oder

Warum essen Sie kein Fleisch? Oder

Warum sind Sie so oft erkältet?

Gesundheit

Wie? _____

Wann? _____

Warum? _____

Wie oft? _____

Was? _____

Wie lange? _____

Einkaufen

Wo?   _____

Wann?   _____

Mit wem?   _____

Wie viel?   _____

Wie oft?   _____

Was?   _____

Freizeit

Was?   _____

Wann?   _____

Wie lange?   _____

Warum?   _____

Mit wem?   _____

Wie viel?   _____

Texte bauen

1. Ordnen Sie den Text:

1. Name? 2. Alter? 3. Land? 4. Wohnort? 5. Sprachen? 6. Beruf? 7. Hobby? 8. ?

a. In meiner Freizeit spiele ich Fußball oder ich treffe meine Freunde. Dann gehen wir in die Diskothek oder ins Kino oder wir unterhalten uns.

b. Meine Muttersprache ist Türkisch, aber ich spreche auch Englisch – und ein bisschen Deutsch.

c. Im letzten Sommer war ich in England, in London. Da habe ich einen Englischkurs gemacht. Das war sehr interessant, aber in Deutschland gefällt es mir besser. Meine Freunde sind hier, deshalb möchte ich hierbleiben.

d. Ich will Architektur studieren, aber ich muss noch besser Deutsch lernen. Jetzt arbeite ich in einem Fitness-Club.

e. Ich bin 22 Jahre alt.

f. Seit vier Monaten wohne ich in Berlin.

g. Ich heiße Taner Mertkol.

h. Ich bin Türke und ich komme aus Izmir.

1.	2.	3.	4.	5.	6.	7.	8.
g.							

2. Stellen Sie sich vor.

Sprechen Sie den Text zuerst laut. Dann schreiben Sie.
Diese Wörter können Sie benutzen.

mein Name ist … ich heiße …	
ich bin … alt	
ich komme aus …	
ich wohne …	
Muttersprache … habe … gelernt	
von Beruf …	
gern …	
????	

3. Korrigieren Sie den Text.

Im folgenden Text sind 15 falsche Wörter. Unterstreichen Sie die falschen Wörter, dann schreiben Sie den Text richtig. Wenn Sie die Wörter nicht finden, können Sie die Liste am Ende benutzen.

Ich <u>Name</u> Birute Miltenyte, ich komme aus Kaunas. Das ist in Litauen. Ich bin 19 Monate alt. Ich wohne ab zwei Monaten in Bonn, in der Beethovenstraße. Ich wohne zusammen ohne meiner Familie, meine Mutter ist Übersetzerin, sie lebt sehr gut Deutsch.
Ich bin Fremdsprachen studieren; ich kann schwer Russisch und jetzt sehe ich auch noch Englisch und Deutsch. Ich möchte früher viel reisen. Ich interessiere mich für andere Klassen, ich möchte viele Leute treffen und sehen, wie sie schlafen.
Ich habe keine besonderen Hobbys, ich mache natürlich Sport und ich lese gern Musik. Am Wochenende machen wir meistens Ausflüge, mit dem Auto oder mit dem Fuß. Meine Eltern wollen die Landschaft am Rhein verpassen und ich finde das auch ganz interessant. Aber in den Ferien möchte ich auf keinen Fall ins Ausland fahren, nach Frankreich oder Spanien, am liebsten ans Meer.

Schreiben Sie den Text richtig.

_____
_____
_____
_____
_____
_____
_____
_____
_____

_____

_____

_____

(Hilfe: ~~Name~~ · Monate · ab · ohne · lebt · bin · schwer · sehe · früher · Klassen · schlafen · lese · Fuß · verpassen · keinen)

Etwas vereinbaren

1. Welche Antwort passt?

Satz	a	b	c	d	e
Antwort	2)	–	–	–	–

a. Ihre Vermieterin hat Sie zum Kaffee eingeladen. Sie sind sehr müde und ein bisschen erkältet, Sie müssen wirklich sofort ins Bett gehen.	1) Ich freue mich sehr über Ihre Einladung, ich komme gern. ⊗) Herzlichen Dank für die Einladung, aber heute kann ich leider nicht, ich bin krank.
b. Sie waren heute mit einer Freundin verabredet. Sie haben die Verabredung vergessen. Jetzt rufen Sie an und entschuldigen sich.	1) Es tut mir leid, dass ich nicht kommen konnte. Ich wollte dich noch anrufen, aber mein Handy war kaputt. 2) War das wichtig heute? Ich glaube nicht, oder? Hast du lange gewartet?
c. Ihr Freund möchte am Wochenende einen Ausflug mit dem Fahrrad machen. Sie möchten auch gern einen Ausflug machen, aber mit dem Auto. Sie wollen höflich antworten.	1) Also, das ist doch Quatsch, was soll das? Warum fahren wir nicht mit dem Auto? 2) Das ist ein guter Vorschlag, aber im Radio haben Sie gesagt, dass es am Wochenende sehr viel Regen gibt.
d. Ihre Großmutter hat Ihnen ein sehr langweiliges Buch geschenkt. Sie wollen ihr danken, aber Sie wollen auch sagen, dass Sie lieber ein Computerspiel möchten. Sie mögen die alte Dame gern.	1) Na ja, herzlichen Dank, aber ich lese doch nie, Oma. Das ist wirklich nichts für mich! 2) Ach, Oma, du bist wirklich lieb! Ich weiß, dass du Bücher magst. Ich möchte dir mal etwas Interessantes an meinem Computer zeigen. Das gefällt dir sicher.
e. Eine Freundin lädt Sie zum Abendessen ein. Sie haben schon eine andere Verabredung, aber das wollen Sie nicht erzählen.	1) Danke für die Einladung, aber heute Abend bin ich leider nicht mehr frei, schade! 2) Herzlichen Dank, aber leider kann ich nicht. Ich muss heute Abend noch spät im Büro arbeiten, schade!

2. Finden Sie eine Antwort.

Sprechen Sie die Antworten erst laut, dann schreiben Sie.

Diese Wörter können Sie benutzen:

ich finde den Vorschlag gut · vielleicht · ich finde es besser · das geht leider nicht · ich habe eine Idee · ich möchte lieber · wir können auch · ich möchte etwas vorschlagen · es tut mir leid · zusammen sein · das finde ich gut

Beispiel:

Ihre Freunde wollen Sie am Samstag besuchen. Sie wollen am Samstag etwas anderes machen.
Ich freue mich, aber es ist besser, wenn ihr am Sonntag kommt.

a. Eine Freundin möchte am Freitagabend mit Ihnen essen gehen.
Sie wollen lieber ins Kino gehen.

_____

_____

b. Ihre Freunde wollen in den Ferien nach Skandinavien fahren. Sie möchten mit Ihren Freunden zusammen sein, aber Sie wollen in ein warmes Land fahren.

_____

_____

c. Ihre Mutter fragt, ob Sie am Samstag mit ihr zum Einkaufen in die Stadt fahren können. Sie haben keine Lust, aber Sie antworten höflich.

_____

_____

d. Ihre Freundin will am Montag in der Mittagspause mit Ihnen Tennis spielen. Sie haben am Montag keine Zeit.

_____

_____

e. Ein Freund möchte mit Ihnen zusammen einen Englischkurs besuchen. Sie interessieren sich mehr für Computer und Internet.

_____

_____

Übungen zum Sprechen

Sprechen Teil 1: sich vorstellen

Sie sollen über sich selbst sprechen.

Sie bekommen eine Liste mit Wörtern,
Sie können diese Wörter benutzen.

Name?
Alter?
Land?
Wohnort?
Sprachen?
Beruf?
Hobby?

1. Finden Sie einen Vorstellungstext für diese Personen. Antworten Sie auch auf die Fragen am Ende.

Sprechen Sie den Text zuerst laut, dann schreiben Sie.

Beispiel:

**Britta Neumann,
24 Jahre, Deutsche**

**Hamburg,
studiert Medizin**

Spricht sehr gut Englisch

Fotografiert gern

Mein Name ist Britta Neumann, ich bin 24 Jahre alt. Ich bin Deutsche und wohne in Hamburg. Ich studiere an der Universität in Hamburg Medizin. Ich kann gut Englisch sprechen und ein bisschen Französisch. Ich habe nicht viel Zeit für Hobbys, aber in den Ferien fotografiere ich gern.

Fragen: Sind Sie schon einmal im Ausland gewesen? Wo? Was haben Sie dort gemacht? Als Schülerin war ich dreimal in England, ich habe dort Sprachkurse besucht. Und im letzten Jahr habe ich ein Praktikum in Amerika gemacht, in Boston.

Modul 4: Sprechen

a.

**Steven Nicholsen,
31 Jahre, Engländer**

London, Fußballspieler

**Wohnt seit zwei
Monaten in Köln**

Spricht etwas Deutsch

Reist gern

_____
_____
_____
_____
_____
_____
_____
_____

Fragen: Warum sind Sie Fußballspieler geworden? Haben Sie auch schon in Deutschland Fußball gespielt? In welchem Verein spielen Sie?

_____
_____

b.

**Raoul Ramirez,
44 Jahre, Spanier**

Barcelona, Techniker

Wohnt jetzt in Hannover

**Spricht Englisch,
Italienisch,
etwas Deutsch**

Kein Hobby

_____
_____
_____
_____
_____
_____
_____
_____

Fragen: Was machen Sie in Ihrer Freizeit? Gehen Sie gern ins Kino oder ins Theater?

_____
_____

c.

**Tereza Brari,
Albanierin, 22 Jahre**

Tirana, Bibliothekarin

Wohnt jetzt in München

**Spricht Russisch,
etwas Englisch,
etwas Deutsch**

**Liest viel, sieht gern
Liebesfilme**

_____

_____

_____

_____

_____

_____

_____

_____

_____

Fragen: Wie lange sind Sie schon in Deutschland? Kennen Sie auch noch andere deutsche Städte?

_____

_____

d.

**Zhou Gongxin,
25 Jahre, Chinesin**

Guangzhou, Lehrerin

**Wohnt seit drei Monaten
in Murnau**

Spricht etwas Deutsch

**Wandert gern,
liebt die Berge**

_____

_____

_____

_____

_____

_____

_____

_____

_____

Fragen: Wie ist Ihre Adresse hier in Murnau? Leben Sie gern in so einer kleinen Stadt?

_____

_____

Sprechen Teil 2: fragen und antworten

1. Formulieren Sie Fragen.

Sprechen Sie zuerst die Fragen laut, dann schreiben Sie.
Auf dem Tisch liegen offen acht Karten zu einem Thema. Sie wählen drei Karten, dabei müssen Sie
eine leere Karte (…?) nehmen.
Wählen Sie, mit welcher Karte Sie anfangen wollen.

Beispiel:
Thema „Wohnen", Wortkarte „Wo?"
Wo wohnen Sie?
Der Partner antwortet dann auf Ihre Frage:
z.B.: Ich wohne in der Helene-Weber-Straße.

Leere Wortkarte „…?"
Ist Ihre Wohnung groß?
Der Partner antwortet dann auf Ihre Frage:
z.B.: Nein, ich habe nur ein Zimmer.

a. Thema: Wohnen

Wie lange	_____ ?
Haben Sie	_____ ?
…	_____ ?
Wann	_____ ?
Wie groß	_____ ?
Wie	_____ ?

b. Thema: Lernen

Wie lange	_____ ?
Was	_____ ?
Wann	_____ ?
…	_____ ?
Haben Sie	_____ ?
Wie	_____ ?

c. Thema: Reisen

Wohin	_____ ?
Waren Sie	_____ ?
Mit wem	_____ ?
…	_____ ?
Wie	_____ ?
Warum	_____ ?

Thema: Wohnen

Wo …?

Thema: Wohnen

Wann …?

Thema: Lernen

Was …?

Thema: Reisen

Mit wem …?

d. Thema: Umwelt

Wie   _____?

…   _____?

Was   _____?

Wo   _____?

Möchten Sie   _____?

Welche   _____?

e. Thema: Beruf

Was   _____?

Wie lange   _____?

Wie   _____?

…   _____?

Haben Sie   _____?

Warum   _____?

f. Thema: Einkaufen

Wo   _____?

Was   _____?

…   _____?

Wann   _____?

Wie viel   _____?

Mit wem   _____?

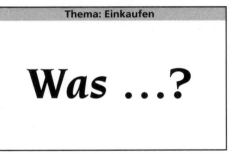

Thema: Umwelt

Möchten Sie …?

Thema: Beruf

…?

Thema: Einkaufen

Was …?

Modul 4: Sprechen

2. Finden Sie Antworten auf Ihre Fragen in Übung 1.

Sprechen Sie zuerst die Antworten laut, dann schreiben Sie.

a. Thema: Wohnen

_____
_____
_____
_____

b. Thema: Lernen

_____
_____
_____
_____

c. Thema: Reisen

_____
_____
_____
_____

d. Thema: Umwelt

_____
_____
_____
_____

e. Thema: Beruf

_____
_____
_____
_____

f. Thema: Einkaufen

_____
_____
_____
_____

Sprechen Teil 3: etwas aushandeln

Sie sollen mit Ihrem Partner etwas aushandeln, d.h. Sie haben ein Problem und Sie suchen eine Lösung. Jeder bekommt ein Aufgabenblatt mit unterschiedlichen Informationen.

Beispiel:

Sie wollen zusammen lernen. Wo können Sie sich treffen?

Kandidat A: wohnt im Zentrum

Kandidat B: wohnt außerhalb der Stadt, hat kein Auto

Mögliche Lösung:

A: Vielleicht kannst du mit der U-Bahn ins Zentrum kommen. Wir treffen uns am Bahnhof und dann gehen wir zu mir nach Hause.

B: Ja, das geht, aber spät abends fährt die U-Bahn nur noch einmal pro Stunde.

A: Das stimmt. Ich glaube aber, es wird nicht so spät. Um zehn bist du bestimmt wieder zu Hause.

1. Sie wollen in dieser Woche an einem Abend zusammen etwas unternehmen. Sie suchen einen passenden Abend: Wann sind Sie frei? Wann ist Ihr Partner frei?

Kandidat A

Montag	*19.00: Essen bei Monika*
Dienstag	*20.30: Englischkurs*
Mittwoch	*18.00: Basketball*
Donnerstag	*20.30: Englischkurs*
Freitag	*meine Eltern*
Samstag	*????*

Kandidat B

Montag	*????*
Dienstag	*19.00: Fitness-Club*
Mittwoch	*17.00: Einkaufen mit Claudia*
Donnerstag	*18.30: Film-Abend im Astoria*
Freitag	*19.00: Fitness-Club*
Samstag	*21.00: Party bei Georg*

Modul 4: Sprechen

2. Eine Freundin hat in dieser Woche Geburtstag. Sie sind beide eingeladen und suchen jetzt ein passendes Geschenk.
Benutzen Sie möglichst alle Vorschläge.

Kandidat A

Kandidat B

3. Sie wollen am Samstag zusammen aufs Land fahren. Am Abend wollen Sie wieder zu Hause sein. Was können Sie unternehmen?
Benutzen Sie möglichst alle Vorschläge.

Kandidat A

Kandidat B

Der Test „Sprechen" für die Niveaustufe A2 dauert ca. 15 Minuten und hat drei Teile (Vorstellung, Fragen und Antworten, etwas aushandeln). Eine „echte Prüfung" finden Sie in Modul 5: Simulation Goethe-Zertifikat A2 / Start Deutsch 2 *auf Seite 103.*

Modul 5:
Simulation *Goethe-Zertifikat A2 /*
Start Deutsch 2
Übungssatz

> **!** *Lesen Sie immer zuerst die Frage.*

Hören

circa 20 Minuten

Dieser Test hat drei Teile. Lesen Sie zuerst die Aufgaben, hören Sie dann den Text dazu.

Schreiben Sie zum Schluss Ihre Lösungen auf den Antwortbogen.

 ### Hören Teil 1

Sie hören fünf Ansagen am Telefon. Zu jedem Text gibt es eine Aufgabe. Ergänzen Sie die Telefon-Notizen. Sie hören jeden Text <u>zweimal</u>.

Beispiel:

Werkstatt

Morgen Auto abholen

Zeit: *ab 9.00 Uhr*

 3.

Einkaufen

Wo: Laden an der Ecke

Was? Brot, _____,

_____, _____

 1.

Christina anrufen

Treffen: nicht heute Abend

Wann? _____

 4.

Telefonauskunft

Vorwahl: 030

Telefonnummer:

_____

 2.

Ausweis abholen

Wo: Bäckerei Meierlein, Elisabethstr.

Wann? _____

5.

Treffen

Wo: Michaelisplatz, U-Bahn-Eingang

Wann? _____

Hören Teil 2

Sie hören fünf Informationen aus dem Radio. Zu jedem Text gibt es eine Aufgabe. Kreuzen Sie an: a, b oder c? Sie hören jeden Text <u>einmal</u>.

 Beispiel: Wie spät ist es jetzt?
- [a] Neun Uhr am Morgen.
- [X] Sieben Uhr am Abend.
- [c] Neun Uhr am Abend.

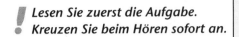

> ❗ *Lesen Sie zuerst die Aufgabe.*
> *Kreuzen Sie beim Hören sofort an.*

 6. Wann kommen die Nachrichten?
- [a] Um 13.30 Uhr.
- [b] Um 12.00 Uhr.
- [c] Um 13.00 Uhr.

> ❗ *Kreuzen Sie auf jeden Fall an, auch wenn Sie nicht ganz sicher sind.*

 7. Wie ist das Wetter im Norden?
- [a] Es regnet.
- [b] Manchmal scheint die Sonne.
- [c] Es ist warm.

 9. Wo kann man heute in Nauheim parken?
- [a] Im Zentrum.
- [b] Auf der B 23.
- [c] Auf dem Sportplatz.

 8. Wo wohnt Herr Niemeyer?
- [a] In Bayern.
- [b] In Köln.
- [c] In Berlin.

 10. Wie ist die Telefonnummer?
- [a] 40 32 32 40.
- [b] 040 32 32 14.
- [c] 040 32 32 40.

Hören Teil 3

Sie hören ein Gespräch. Zu diesem Gespräch gibt es fünf Aufgaben.
Ordnen Sie zu und notieren Sie den Buchstaben. Sie hören den Text _zweimal_.

Beispiel: Welche Möbel will Frau Nimbus verkaufen? Wo stehen diese Möbel?

> **!** _Lesen Sie die Tabelle. Die Personen gehen zuerst in den Flur, dann in die Küche, dann ins Wohnzimmer, …_

Raum	Beispiel: Flur	11 Küche	12 Wohn-zimmer	13 Arbeits-zimmer	14 Ess-zimmer	15 Kinder-zimmer
Lösung	_a_					

a. Schrank

b. Tisch

c. Sessel

d. Schreibtisch

e. Betten

f. Stühle

g. Bild

h. Sofa

i. Kühlschrank

> **!** _Schreiben Sie beim Hören in die Tabelle. Ergänzen Sie dann die Buchstaben._

Ende des Tests Hören.

Schreiben Sie jetzt Ihre Lösungen 1–15 auf den Antwortbogen, Seite 116.

> **!** _Achtung! Machen Sie keine Fehler!_
> _Übertragen Sie die Lösungen langsam._

Lesen
Schreiben

circa 50 Minuten

Lesen

circa 20 Minuten
Dieser Test hat drei Teile. Sie lesen kurze Briefe, Anzeigen etc.
Zu jedem Text gibt es fünf Aufgaben. Kreuzen Sie die richtige Lösung an.

Schreiben

circa 30 Minuten
Dieser Test hat zwei Teile. Sie füllen ein Formular aus und schreiben eine kurze Mitteilung.
Schreiben Sie zum Schluss Ihre Lösungen auf den Antwortbogen.
Hilfsmittel wie Wörterbücher sind nicht erlaubt.

Lesen Teil 1

Sie sind in Deutschland und diskutieren mit ein paar Freunden, was Sie unternehmen wollen.
Lesen Sie die Aufgaben 1–5 und die Informationen aus dem Programm der Stadt.
Was ist für Ihre Freunde interessant?
Kreuzen Sie an: a, b oder c ?

Beispiel: Ihre Freundin Anita möchte einen Film sehen.
- ☒ Freitag
- b Samstag
- c anderer Tag

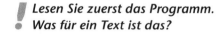

Lesen Sie zuerst das Programm. Was für ein Text ist das?

1. Georg interessiert sich für alte Sachen.
   - a Freitag
   - b Samstag
   - c anderer Tag

2. Johannes liebt klassische Musik.
   - a Freitag
   - b Dienstag
   - c anderer Tag

3. Ferdinand interessiert sich für Blumen.
   - a Sonntag
   - b Montag
   - c anderer Tag

4. Elisabeth möchte, dass ihre Kinder Spaß haben.
   - a Sonntag
   - b Dienstag
   - c anderer Tag

5. Vivian interessiert sich für Fotografie.
   - a Freitag
   - b Sonntag
   - c anderer Tag

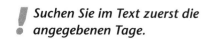

Suchen Sie im Text zuerst die angegebenen Tage.

Was ist los in unserer Stadt?

Monatsprogramm für September

Freitag, 5.9.

20.30 Opernhaus: Alice im Wunderland, Tanztheater

19.00 Freie Universität, Aula Magna: Diskussionsrunde „Europa auf dem Weg in die Zukunft"

19.00 Fitness-Center im Wallgraben: Neueröffnung

21.00 Palast-Kino: Neu! Die lange Reise der Vögel

23.00 Diskothek The Blackhouse: DJ Akba legt auf!

Samstag, 6.9.

20.00 Residenztheater: Alles im Eimer!, Komödie

19.30 Auditorium in der Wiesenstraße: Volkslieder aus drei Jahrhunderten

18.00 Lagerhaus an der Hauptbrücke: Eröffnung der Ausstellung „Fotografie gestern und heute"

Ab 15.00 auf dem Rathausplatz: Antikmarkt (Möbel, Kleider, Bücher, Geschirr)

23.00 Diskothek am Stadtpark: Wochenendparty

Sonntag, 7.9.

11.00 Café Central, Lange Straße: Brunch für Feinschmecker

11.30 Auditorium in der Wiesenstraße: Matinee mit dem Trio Tamaha (Jazz and Soul)

14.00 Fußgängerzone: Straßentheater und Pantomime

18.30 Theater am Rosenplatz: Matze hat keine Lust mehr, ein Theaterstück für die Kleinen

19.00 Großes Opernhaus: Woyzeck

Montag, 8.9.

18.00 Messegelände: Gartenausstellung „Pflanzen für drinnen und draußen"

18.30 Lagerhaus an der Hauptbrücke: Performance der Gruppe „Nightfly", Ausstellung „Fotografie gestern und heute"

20.00 Bistrot in der Breiten Gasse: Weinverkostung für alle!

20.30 Volkshochschule, Schillerstraße: Vorstellung des neuen Programms

Dienstag, 9.9.

Ab 18.00 Auditorium in der Wiesenstraße: Vorverkauf Abbonnementskarten für das Winterhalbjahr

19.30 Lagerhaus an der Hauptbrücke: Ausstellung „Fotografie gestern und heute"

19.00 Kleine Oper: Konzertabend (Vivaldi, Haydn, Bach)

20.00 Residenztheater: Alles im Eimer!, Komödie

| ! | *Sie müssen __nicht__ alle Wörter verstehen.* |

Lesen Teil 2

Lesen Sie den Text und die Aufgaben 6–10.
Sind die Aussagen Richtig oder Falsch ?
Kreuzen Sie an.

*Lesen Sie zuerst den Text.
Sie müssen nicht alle Wörter
verstehen. Beim zweiten Lesen
suchen Sie die Antworten.*

Beispiel:

Stefan Fischer schreibt Bücher.   Ri**X**tig   Falsch

6. Stefan Fischer war früher Übersetzer für Deutsch
   und Englisch.   Richtig   Falsch

7. Sein erstes Buch hat er vor zehn Jahren geschrieben.   Richtig   Falsch

8. Er lebt heute in einem Haus am Meer.   Richtig   Falsch

9. Stefan Fischer ist verheiratet und hat ein Kind.   Richtig   Falsch

10. Seine Frau möchte nicht, dass er auch als
    Filmemacher arbeitet.   Richtig   Falsch

Heute schreibt er Bestseller – aber wie hat er angefangen?

Interview mit Stefan Fischer
Nr. 1 auf dem deutschen Büchermarkt

Stefan Fischer ist heute ein berühmter Name, jeder Leser kennt ihn: „Die dunkle Straße" und „Der lange Weg nach Hause", das sind seine bekanntesten Bücher, übersetzt in zwölf Sprachen. Wie hat das alles angefangen?

Stefan Fischer (53) selbst sagt zu dieser Frage: „Ich habe als Übersetzer angefangen. Ich bin zweisprachig aufgewachsen, meine Mutter ist Deutsche und mein Vater Schwede. Ich habe schon als Student Bücher aus dem Schwedischen ins Deutsche übersetzt. Später habe ich angefangen, selbst kleine Geschichten zu schreiben, zuerst nur für mich und meine Freunde, dann auch für ein paar deutsche Zeitschriften. Und vor fünfundzwanzig Jahren wurde mein erstes Buch gedruckt!

Wir haben Stefan Fischer in seinem Haus in Schleswig-Holstein besucht, er wohnt an der Nordsee, mit seiner Frau Katja und den Kindern Klaas und Frauke.

Jetzt soll Stefan einen Film in Hollywood machen, was sagt seine Frau Katja dazu?

„Ich glaube, dieses Angebot aus Hollywood ist eine ganz tolle Chance für Stefan, ich möchte unbedingt, dass er das macht! Es wird ihm auch sicher viel Spaß machen. Er kann dort mit so vielen berühmten Leuten zusammen arbeiten."

Lieber Herr Fischer, wir wünschen Ihnen und Ihrer sympathischen Familie weiterhin viel Erfolg!

Lesen Teil 3

Lesen Sie die Anzeigen und die Aufgaben 11–15. Welche Anzeige passt zu welcher Situation?
Für eine Aufgabe gibt es keine Lösung. Schreiben Sie hier den Buchstaben X.

> ! *Lesen Sie immer zuerst die Aufgabe, suchen Sie dann die richtige Anzeige.*

Beispiel: Sie möchten mit Ihrer 11-jährigen Tochter am Wochenende einen Ausflug mit dem Fahrrad machen.

Situation	Beispiel	11	12	13	14	15
Lösung	b					

11. Sie haben früher ziemlich gut Französisch gelernt, jetzt möchten Sie ein Zeugnis haben.

12. Sie suchen einen Job, aber Sie wollen nur am Samstag und Sonntag arbeiten.

> ! *Achtung! Für eine Aufgabe gibt es keine Lösung.*

13. Sie möchten in diesem Jahr am Computer Ihre Weihnachtsgrüße an alle Freunde schicken.

14. Sie suchen ein besonders interessantes Restaurant für ein Abendessen mit Ihrer Freundin.

15. Ihr Sohn wird übermorgen 9 Jahre alt, er hat die ganze Klasse eingeladen (31 SchülerInnen) und Ihre Wohnung ist nicht sehr groß.

> ! *Sie können jede Anzeige nur einmal nehmen.*

a.

Teilzeit-Jobs
Wir suchen kreative junge Leute! Sind Sie kommunikativ und aufgeschlossen für neue Ideen? Möchten Sie abends und/oder am Wochenende arbeiten?

Rufen Sie uns an:
Tel. 0443 546788

b.

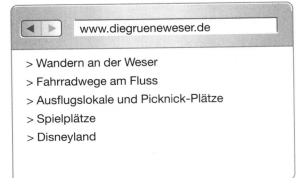

www.diegrueneweser.de

> Wandern an der Weser
> Fahrradwege am Fluss
> Ausflugslokale und Picknick-Plätze
> Spielplätze
> Disneyland

c.

◀ ▶ www.ferienhaus.com

> Apartments am Meer
> Ferienhäuser und Wohnungen für den Sommer
> Hotels und Pensionen
> Bed and Breakfast

d.

◀ ▶ www.cafebrown.de

Der beste Brunch in der Stadt!

> 20 m kaltes und warmes Frühstücks-Buffet
> Wählen Sie: kontinental – englisch – mediterran
> Das gibt es nur bei uns!
> Geöffnet sonntags ab 10.00 Uhr.
> Reservierung: 0271 335678

e.

Der besondere Service!

Wir organisieren die tollsten Kinder-Partys!
Bei Ihnen zu Hause oder in unseren Räumen.
Clowns, Zauberer, Hexen und viele Über-
raschungen.
Rufen Sie uns an, wir planen mit Ihnen
gemeinsam.
Tel: 04857 4452

f.

◀ ▶ www.feste.feiern.de

> Festliche Dekorationen
> Der ultimative Wunschzettel
> Originelle Geschenke
> E-Mail-Service: Weihnachtskarten
> Klingende Geburtstagsgrüße

g.

◀ ▶ www.sprachenlernen.org

> alle europäischen Sprachen
> kleine Gruppen und/oder Individualunterricht
> organisierte Sprachreisen
> international anerkannte Sprachprüfungen
> Einschreibung und Information:
  Mo–Do, von 10.00–13.00

h.

Antiqua-Markt

Hier finden Sie alles!
Wir sind Spezialisten für alte Bücher,
Schallplatten, Kassetten.
Wir finden für Sie Erstausgaben
und seltene Exemplare.
Rufen Sie uns an: 0235 7783

! *Übertragen Sie Ihre Lösungen
langsam. Machen Sie keine Fehler!*

Ende des Tests Lesen.

Schreiben Sie jetzt Ihre Lösungen 1–15 auf den Antwortbogen, Seite 116.

Schreiben Teil 1

Ihre Freundin Bente möchte im Urlaub in Deutschland Tennis spielen lernen. Über das Internet bestellt sie Informationsmaterial.

Schreiben Sie die fünf fehlenden Informationen über Bente in das Formular.

Am Ende übertragen Sie Ihre Lösungen bitte auf den Antwortbogen.

Name: Johanson
Vorname: Bente
Geb. am: 23.11.1980 in Kobenhavn
Wohnhaft in: Norre Voldgade 24
8000 Arhus (Dänemark)

Bente Johanson
Import/Export

North-Inventure
Arhus
Tel: +45 861203340
north_inventure@freenet.dk

Sie kennen Bente seit drei Jahren: Sie spricht sehr gut Deutsch und Englisch, sie ist ziemlich sportlich, aber sie hat nie Zeit für Freunde oder Hobbys. Sie ist nicht verheiratet, am Wochenende arbeitet oder lernt sie. Sie hat in diesem Jahr drei Wochen Urlaub, sie will eine gute Tennisspielerin werden.

! Diesen Text müssen Sie genau lesen.

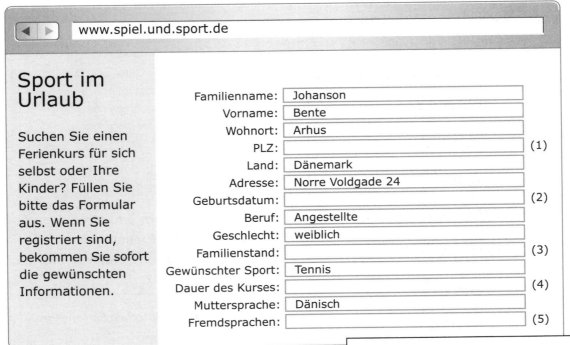

Sport im Urlaub

Suchen Sie einen Ferienkurs für sich selbst oder Ihre Kinder? Füllen Sie bitte das Formular aus. Wenn Sie registriert sind, bekommen Sie sofort die gewünschten Informationen.

www.spiel.und.sport.de

Familienname:	Johanson
Vorname:	Bente
Wohnort:	Arhus
PLZ:	(1)
Land:	Dänemark
Adresse:	Norre Voldgade 24
Geburtsdatum:	(2)
Beruf:	Angestellte
Geschlecht:	weiblich
Familienstand:	(3)
Gewünschter Sport:	Tennis
Dauer des Kurses:	(4)
Muttersprache:	Dänisch
Fremdsprachen:	(5)

! Übertragen Sie jetzt Ihre Lösungen auf den Antwortbogen!

Modul 5: Simulation

111

Schreiben Teil 2

Sie bekommen eine Nachricht von Ihrem Freund Pierre. Er schreibt, dass er am Wochenende umziehen will. Er fragt, ob Sie ihm helfen können. Sie finden Pierre sehr sympathisch und wollen ihm gern helfen.

Antworten Sie. Hier finden Sie vier Punkte. Wählen Sie <u>drei</u> aus. Schreiben Sie zu jedem Punkt ein bis zwei Sätze auf den Antwortbogen.

– neue Wohnung
– Auto
– andere Freunde
– Uhrzeit

> **!** *Korrigieren Sie Ihren Brief. Können Sie die drei Punkte finden?*

Ende des Tests Schreiben.

Sprechen

circa 15 Minuten
Dieser Test hat drei Teile. Sprechen Sie bitte mit Ihrem Partner/ Ihrer Partnerin.

Sprechen Teil 1

Der Prüfer sagt seinen Namen und auch den Namen des Kollegen.
Dann sollen die Kandidaten sich vorstellen. Auf dem Tisch liegt ein Blatt mit einigen Wörtern, Sie können diese Wörter benutzen. Sie sollen wenigstens sechs Sätze sagen.
Nach der Vorstellung stellt der Prüfer noch zwei Fragen.

Name?

Alter?

Land?

Wohnort?

Sprachen?

Beruf?

Hobby?

Sie sollen auf diese Fragen antworten.
1. Wie lange lernen Sie schon Deutsch?
2. Sprechen Sie noch eine andere Fremd-sprache?

> **!** *Sprechen Sie langsam.*

Sprechen Teil 2

Auf dem Tisch liegen offen acht Wortkarten zum Thema „Wetter". Jeder Kandidat wählt drei Karten, eine von den drei Karten muss leer sein („…?")

Thema: Wetter Wie …?	**Thema: Wetter** Was …?
Thema: Wetter …?	**Thema: Wetter** Wann …?
Thema: Wetter Wo …?	**Thema: Wetter** Wie oft …?
Thema: Wetter …?	**Thema: Wetter** Wie lange …?

Sie können wählen, mit welcher Karte Sie anfangen wollen. Kandidat A stellt eine Frage, Kandidat B antwortet. Dann fragt Kandidat B und Kandidat A antwortet. Jeder formuliert drei Fragen und drei Antworten.

> **!** *Wenn Sie die Frage nicht verstehen, sagen Sie: Ich habe das nicht verstanden. Können Sie das bitte wiederholen?*

Sprechen Teil 3

Die beiden Kandidaten bekommen ein Aufgabenblatt mit unterschiedlichen Informationen.

Etwas aushandeln (Kandidat A)
Sie wollen im Sommer für ein Wochenende zusammen nach Berlin fahren
und dort alte Freunde treffen.
Finden Sie einen passenden Termin.

Juli		August	
		Sa.1.	Maria und Ingo. Tisch reservieren!!
		So.2.	
Sa.3.	Party bei Gisela		
So.4.	Familie Weihrauch bei mir eingeladen		
		Sa.8.	Umzug
		So.9.	Umzug
Sa.10.	Jazz-Festival in Bielefeld		
So.11	Eintrittskarten!!!		
		Sa.15.	Tante Edith kommt
		So.16.	zu Besuch
Sa.17.	Ferien!!!!		
So.18.	Flug nach Spanien		
		Sa.22.	
		So.23.	Katrins Geburtstag
Sa.24.			
So.25	Zurück aus Spanien		
		Sa.29.	Hochzeit von Eva und Klaus
		So.30.	

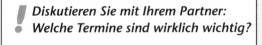

! *Diskutieren Sie mit Ihrem Partner:*
Welche Termine sind wirklich wichtig?

Etwas aushandeln (Kandidat B)
Sie wollen im Sommer an einem Wochenende für zwei Tage zusammen
nach Berlin fahren und dort alte Freunde treffen.
Finden Sie einen passenden Termin.

Juli

Sa. 3.   erster Urlaubstag!
So. 4.   Fähre nach Rügen

Sa. 10.   Rügen
So. 11

Sa. 17.   wieder zu Hause
So. 18.   letzter Urlaubstag!

Sa. 24.   Party bei Benjamin
So. 25

August

Sa. 1.   Ausflug mit der Firma
So. 2.

Sa. 8.   Eltern kommen
So. 9.   zu Besuch

Sa. 15.   Theater
So. 16.   Für Prüfung lernen

Sa. 22.   Fahrt nach Köln (Geschenk kaufen!!)
So. 23.

Sa. 29.   Einkaufszentrum
So. 30.

Ende des Tests Sprechen.

Für den Teil 1 (Vorstellung) können Sie maximal 3 Punkte bekommen.
Für den Teil 2 (Fragen und Antworten mit Wortkarten) können Sie maximal 6 Punkte bekommen,
(für jede richtige Frage gibt es einen Punkt und für jede richtige Antwort auch).
Für den Teil 3 (etwas aushandeln) können Sie maximal 6 Punkte bekommen.

Ende der Prüfung *Goethe-Zertifikat A2/Start Deutsch 2.*
Zählen Sie die richtigen Antworten aus Hören, Lesen und Schreiben Teil 1 zusammen.
Sie bekommen für jede richtige Antwort einen Punkt. Für Schreiben Teil 2 bekommen Sie
maximal 10 Punkte. Zählen Sie alle Punkte aus Hören, Lesen, Schreiben und Sprechen
zusammen und multiplizieren Sie sie mit 1,66.
(z. B. 60 x 1,66 = 100)

90–100   =   sehr gut
80–89   =   gut
70–79   =   befriedigend
60–69   =   ausreichend
* 0–59   =   nicht bestanden*

Antwortbogen

Familienname _____ Übungssatz
Vorname   _____

Hören

Teil 1		Teil 2	

Teil 1
1 _____
2 _____
3 _____
4 _____
5 _____

Teil 2
5 [a] [b] [c]
6 [a] [b] [c]
7 [a] [b] [c]
8 [a] [b] [c]
9 [a] [b] [c]
10 [a] [b] [c]

Teil 3
11 [a] [b] [c] [d] [e] [f] [g] [h] [i]
12 [a] [b] [c] [d] [e] [f] [g] [h] [i]
13 [a] [b] [c] [d] [e] [f] [g] [h] [i]
14 [a] [b] [c] [d] [e] [f] [g] [h] [i]
15 [a] [b] [c] [d] [e] [f] [g] [h] [i]

Lesen

Teil 1
1 [a] [b] [c]
2 [a] [b] [c]
3 [a] [b] [c]
4 [a] [b] [c]
5 [a] [b] [c]

Teil 2
6 [Richtig] [Falsch]
7 [Richtig] [Falsch]
8 [Richtig] [Falsch]
9 [Richtig] [Falsch]
10 [Richtig] [Falsch]

Teil 3
11 [a] [b] [c] [d] [e] [f] [g] [h] [x]
12 [a] [b] [c] [d] [e] [f] [g] [h] [x]
13 [a] [b] [c] [d] [e] [f] [g] [h] [x]
14 [a] [b] [c] [d] [e] [f] [g] [h] [x]
15 [a] [b] [c] [d] [e] [f] [g] [h] [x]

Schreiben

Teil 1
1 _____
2 _____
3 _____
4 _____
5 _____

Schreiben Teil 2

Schreiben Sie hier Ihren Text (ca. 40 Wörter).

Anhang

Transkription der Hörtexte

Modul 1: Hören

Die Hörsituation

1d Seite 16

Susi: Guck mal Jan, hier sind wir, am Bahnhof. Das Museum ist gar nicht weit weg, gleich da hinter dem Dom. Da gehen wir sofort hin. Ich freue mich schon so lange auf das Museum!

Jan: Können wir nicht erstmal eine Tasse Kaffee trinken? Wir haben doch noch gar nicht gefrühstückt! Komm Susi, wir gehen erstmal da rüber ins Domcafé. Ich lade dich ein.

S: Ja, gern, ich habe auch Hunger. Aber dann gehen wir ins Museum.

J: Wollen wir nicht erst in den Dom gehen? Es gibt eine Treppe bis ganz oben auf den Turm, da können wir die ganze Stadt sehen, den Fluss und das Stadtzentrum mit der Fußgängerzone. Ich finde, wir gehen zuerst in die Stadt und sehen uns alles an, und am Nachmittag haben wir dann noch genug Zeit für das Museum.

S: Okay, so geht es auch. Das Stadtzentrum ist ja auch hier in der Nähe. Guck mal da, die blauen Straßen, das sind die Einkaufsstraßen. Wenn das Wetter gut ist, können wir mittags am Fluss sitzen und ein Picknick machen. Was meinst du?

J: Wunderbar! Aber sag mal, wann geht eigentlich unser Zug nach Hause?

S: Erst um sieben, wir haben Zeit genug.

J: Dann komm, Susi, gehen wir erstmal frühstücken!

2b Seite 17

Frau: Ja, haben Sie denn nicht gesehen, dass die Ampel rot war? Warum haben Sie nicht gebremst? Sie können doch nicht einfach bei Rot über die Kreuzung fahren!

Mann: Quatsch! Die Ampel war gelb! Das habe ich genau gesehen; Sie sind zu früh losgefahren. Warum haben Sie nicht besser aufgepasst? Sie haben mein Auto doch gesehen, oder?

F: Klar, ich habe Sie gesehen, aber ich dachte natürlich, dass Sie an der roten Ampel stehen bleiben und warten!

M: Die Ampel war nicht rot, ich bin bei Gelb durchgefahren, das habe ich doch schon gesagt!

F: Ja, und was machen wir jetzt? Sollen wir die Polizei rufen?

M: Ach, ich weiß nicht, eigentlich ist doch gar nicht viel passiert, oder? An meinem Auto ist die Lampe kaputt, das kann ich selbst reparieren. Und Ihr Auto sieht doch wie neu aus. Ich finde, die Polizei brauchen wir nicht.

F: Nein, nein, hier vorn ist alles kaputt, das ist eine sehr teure Reparatur. Ich möchte auf jeden Fall die Polizei anrufen.

M: Also gut, dann tun Sie das, aber beeilen Sie sich bitte, ich habe nicht so viel Zeit!

3b Seite 18

Reporter: Viele Leute machen sich Sorgen, weil ihre Kinder im Fernsehen vielleicht hässliche und brutale Szenen zu sehen bekommen. Oder sie fürchten, dass die Kinder nicht mehr genug Zeit zum Spielen haben, weil sie immer vor dem Fernsehapparat sitzen. Was ist Ihre Meinung? Glauben Sie, dass das Fernsehen für Kinder gefährlich ist?

a. *Frau:* Ich habe selbst zwei Kinder, die beide sehr gern fernsehen. Ich finde nicht, dass das Fernsehen gefährlich ist, weil wir immer genau kontrollieren, was unsere Kinder sehen dürfen und was nicht. Aber ich glaube, dass Kinder viel Bewegung brauchen, deshalb gibt es bei uns jeden Tag nur eine Stunde Fernsehen, dann ist Schluss!

b. *Mann:* Ach, ich weiß nicht, ich finde, dass es im Fernsehen immer wieder sehr interessante Sendungen gibt, da können Kinder doch bestimmt auch viel lernen. Natürlich ist es nicht gut, wenn man den ganzen Tag nur vor dem Fernsehgerät sitzt, das tut aber wohl auch niemand, so gut ist das Programm ja nicht! Aber eine oder zwei Stunden pro Tag sehe ich sicher fern, vor allem, wenn es Fußballspiele gibt.

c. *Mädchen:* Ich sehe eigentlich nie fern, ich höre lieber meine Musik-CDs oder ich telefoniere mit meinen Freundinnen. Meine kleine Schwester sieht am Nachmittag immer die Kindersendungen, die sind zwar sehr langweilig, aber gefährlich sind sie nicht. Abends dürfen wir nicht fernsehen, das erlauben meine Eltern nicht.

d. *Junge:* Ich interessiere mich sehr für Sport, vor allem für Fußball, aber auch für Autorennen, Tennis, Leichtathletik. Am Wochenende sehe ich mit meinem Vater zusammen die Sportsendungen, das finden wir beide toll. Ich glaube, es ist nicht gut, wenn Kinder zu lange vor dem Fernseher sitzen, weil sie nicht wissen, was sie tun sollen. Ich spiele zweimal pro Woche Basketball im Sportverein und nachmittags bin ich immer mit meinen Freunden draußen. Wenn ich

abends einen Film sehen will, muss ich meine
Eltern fragen.

4b Seite 18

Die Fluggäste für den Flug Eurofly 706 nach
Vancouver werden zum Schalter 12 in Halle C
gebeten. Die Fluggäste nach Vancouver mit
Eurofly 706 bitte zum Schalter 12 in Halle C.
Herr Simon, gebucht auf den Flug KLR 3445
nach Amsterdam, wird gebeten, sich am Schal-
ter 23 in Halle A zu melden. Herr Simon bitte
zum Schalter 23 in Halle A.
Frau Pereira, gebucht auf den Flug IBAN 987
nach Lissabon, kommen Sie bitte sofort zum
Flugsteig 33. Der Flug wird jetzt geschlossen.
Frau Pereira bitte zum Flugsteig 33.

5b Seite 19

Das Tiefdruckgebiet vom Atlantik breitet sich
im Laufe der nächsten Tage über ganz Deutschland aus. Im Norden bleibt es weiterhin bedeckt
und kühl, die Temperaturen steigen kaum über
20 Grad. Am Nachmittag Neigung zu vereinzelten Regenfällen. Im Süden ist es zunächst noch
wärmer und am Morgen zeigt sich in Bayern
und Baden-Würtemberg auch die Sonne. Gegen
Mittag ziehen dann Wolken auf und für den
Abend werden in Süddeutschland schwere Gewitter erwartet.
In ganz Deutschland bleibt die Wetterlage in
den nächsten 24 Stunden sehr wechselhaft mit
stetigen Winden aus Nordwest und für die Jahreszeit ist es überall zu kühl.

Globales Hörverstehen

Beispiel Seite 19

Mann: Hier Sebastian Meyer.
Frau: Hallo Sebastian, ich bin's, Sabine. Erinnerst du dich noch an mich?
M: Sabine! Das ist ja eine Überraschung! Natürlich erinnere ich mich! Die alten Freunde ver-
gisst man nicht, das weißt du doch! Von wo
rufst du denn an?
F: Ich bin hier in Jena, ich habe deine Telefonnummer gefunden und da habe ich gedacht, ich
versuche es einfach mal. Ich freue mich so,
deine Stimme zu hören!
M: Sabine, ich freue mich auch! Wie lange
bleibst du denn in Jena und was machst du
hier?
F: Ich bin nur zum Wochenende hier, bei einem
Fortbildungsseminar. Aber sag mal, können wir
uns treffen, ich möchte dich gern wiedersehen
und von alten Zeiten sprechen.
M: Ja, das finde ich wunderbar, vielleicht können wir heute Abend zusammen essen?

F: Gut, ich warte um halb acht unten in der
Hotelhalle.

a. Dialog 1 Seite 19

Mann: Guten Tag, mein Name ist Berger, Sie sind
sicher Frau Meinholt?
Frau: Ja, guten Tag, ich bin die neue Praktikantin.
M: Nehmen Sie bitte Platz, Frau Meinholt. Wie
lange wollen Sie denn bei uns bleiben?
F: Ich kann leider nicht sehr lange bleiben, ich
muss ja zurück an die Universität und meine
Prüfungen machen. Ich hoffe aber doch, dass
ich in sechs Wochen die Firma recht gut kennenlernen kann.
M: Sechs Wochen, das ist wirklich nicht sehr
lang. Aber vielleicht kommen Sie noch einmal
wieder, Sie sind ja noch sehr jung. Sie studieren
Betriebswirtschaft, nicht wahr? In welchem Semester sind Sie?
F: Ich habe ziemlich früh angefangen. Ich bin
22 und gehe jetzt ins vierte Semester, dies ist
mein erstes Praktikum.
M: Gut, Frau Meinholt, dann will ich Sie jetzt
erst einmal den Kolleginnen vorstellen.

b. Dialog 2 Seite 19

Mann: Guten Tag, Frau Feddersen, haben Sie ein
bisschen Zeit für mich? Ich möchte Ihnen ein
interessantes Angebot machen.
F: Nein, nein, nein, ich will überhaupt nichts
kaufen und ich habe auch keine Zeit!
M: Das kann ich sehr gut verstehen, Sie sollen
auch nur kaufen, wenn Sie unsere Produkte
wirklich gut finden. Wir möchten gern, dass Sie
unsere Produkte ausprobieren. Und wenn sie
Ihnen gefallen, dann kaufen Sie, nur dann.
F: Was sind das denn für Produkte?
M: Sie bekommen die Wasch- und Reinigungs-
mittel der Firma Sauber zwei Wochen lang zur
Probe. Wenn Ihnen die Sachen nicht gefallen,
bezahlen Sie gar nichts und schicken einfach
nur die Produkte zurück. Für Sie ist überhaupt
kein Risiko dabei…
F: Nein, das will ich nicht! Ich brauche nichts
und ich will nichts! Auf Wiedersehen.

c. Dialog 3 Seite 20

Junge: Hallo, Biggi, das ist ja toll, dass ich dich
treffe. Hast du meine SMS bekommen?
Mädchen: Tag, Stefan, hast du mir eine SMS ge-
schickt? Tut mir leid, ich habe nichts bekommen.
J: Ist ja auch egal, jetzt bist du ja da. Biggi, du
musst mir unbedingt helfen! Übermorgen kommen meine Eltern und du weißt ja, wie klein
meine Wohnung ist – kannst du uns nicht zum

Mittagessen einladen? Du hast doch Platz genug und du kannst ja so toll kochen. Bitte, Biggi, sag ja! Ich bring was zu trinken mit.
M: Sag mal, spinnst du? Wieso soll ich für euch kochen? Warum gehst du mit deinen Eltern nicht ins Restaurant? Du kommst immer nur zu mir, wenn du etwas brauchst! Ehrlich, davon habe ich jetzt endgültig genug! Mach doch, was du willst, aber mich lässt du bitte in Ruhe! Ich helfe dir ganz bestimmt nicht, auf gar keinen Fall!

d. Dialog 4 Seite 20
Mann: Guten Tag, was kann ich für Sie tun?
Frau: Sie können dieses Buch umtauschen! Sehen Sie sich das doch mal an: Hier in der Mitte fehlen 10 Seiten. So was darf doch nicht passieren, warum wird das nicht besser kontrolliert?
M: Tatsächlich, die Seiten fehlen, das tut mir wirklich leid. Aber wissen Sie, das ist ein besonders preiswertes Mängelexemplar, diese Exemplare haben immer kleine Fehler. Deshalb sind sie ja verbilligt im Angebot.
F: Kleine Fehler? Zehn Seiten, das nennen Sie einen „kleinen Fehler"? Sind Sie verrückt? Ich möchte, dass Sie dieses Buch umtauschen!
M: Das kann ich leider nicht. Die Bücher aus dem Sonderangebot sind vom Umtausch ausgeschlossen.
F: Was soll ich denn mit einem Roman, in dem die wichtigsten Seiten fehlen? So geht das nicht, ich will mit dem Geschäftsführer sprechen!
M: Sie können gern mit Herrn Fischer sprechen, aber glauben Sie mir: Wir können Ihnen wirklich nicht helfen.

Selektives Hörverstehen

Beispiel Seite 20
Nach Dresden gibt es leider keinen direkten Zug, Sie müssen in Leipzig umsteigen. Wenn Sie hier um 8 Uhr 33 abfahren, sind Sie um 10 Uhr 15 in Leipzig und können um 10 Uhr 42 weiterfahren nach Dresden. Dort kommen Sie um 12 Uhr 58 an. Sie können aber auch einen späteren Zug nehmen.

a. Hörtext 1 Seite 20
Hallo, Jutta, hier ist Gerd. Ich habe mit meiner Kollegin gesprochen und ihr gesagt, dass du ihren Computer gern kaufen möchtest. Sie hat mir noch ein paar Informationen gegeben: Der Computer ist ganz neu, ein Laptop Marke Huntia, sie will ihn für 150 Euro verkaufen. Du sollst sie heute Abend noch anrufen. Die Telefonnummer ist 45 77 23 3. Ciao, mach's gut!

b. Hörtext 2 Seite 21
Hallo, Michaela, hier spricht Klaus. Ich habe deine Nachricht bekommen. Natürlich finde ich es auch wichtig, dass wir drei uns mal in Ruhe zusammensetzen und alles ausdiskutieren. Ich habe auch schon mit Thomas gesprochen. Er sagt, dass ihr beide am Samstagnachmittag Zeit habt. Mir passt das nicht so gut, weil ich am Samstag bis zwei in der Schule bin. Ich finde, wir können uns doch auch mal abends treffen, ich schlage vor: am Freitag. Thomas findet das ganz gut. Aber jetzt musst du noch sagen, ob du am Freitagabend kommen kannst. Am besten rufst du mich auf dem Handy an.

c. Hörtext 3 Seite 21
Unsere Sonderangebote heute: französischer Camembert, 100 Gramm nur 1 Euro 80, 1 Liter Orangensaft nur 98 Cent, Thüringische Leberwurst, 200 Gramm nur 1 Euro 95. Außerdem die besondere Attraktion in dieser Woche: Gemüse und Obst frisch vom Lande. 1 Kilo Tomaten kostet heute nur 90 Cent, 5 Kilo Kartoffeln gibt es für 3 Euro!

d. Hörtext 4 Seite 21
Guten Morgen, liebe Zuhörerinnen und Zuhörer, hier ist der westdeutsche Rundfunk mit der Sendung „Musik am Sonntagmorgen". Wir haben wieder viele Musikwünsche und Geburtstagsgrüße zu überbringen, aber zuerst möchte ich Ihnen vier junge Leute vorstellen, von denen Sie in Zukunft bestimmt noch viel hören werden. Die vier kommen aus Mecklenburg-Vorpommern, sie sind Studenten, aber ihr Herz gehört der Musik. Seit drei Jahren treten sie zusammen auf und vor drei Wochen haben sie beim Jazzfestival in Schwerin den ersten Preis gewonnen.

e. Hörtext 5 Seite 21
Wie Sie wissen, warten wir in dieser Sendung auf Ihre Anrufe. „Vom Telefon zum Mikrofon" will Ihnen, liebe Zuhörerinnen und Zuhörer, die Möglichkeit geben, Meinungen und Informationen auszutauschen. Hier kommt noch einmal unsere Telefonnummer: Berlin 3 88 64 88. Jetzt kommt zuerst noch ein bisschen flotte Musik und dann freuen wir uns auf Ihren Anruf!

f. Hörtext 6 Seite 21
Frau: Du weißt doch, am Samstag heiratet Teresa. Ich habe gedacht, wir könnten vielleicht morgen Nachmittag zusammen in die Stadt gehen und ein Geschenk kaufen.
Mann: Morgen? Nein, morgen ist Dienstag, da geht es auf gar keinen Fall, dienstags ist immer unsere Fachkonferenz, da komme ich erst um

sieben von der Arbeit, das geht nicht. Warum machen wir das nicht am Freitagnachmittag, kurz bevor wir zu Teresa fahren? Wir fahren erst in die Stadt und kaufen ein und danach geht es gleich weiter auf die Autobahn.

Frau: Nein, für Freitagnachmittag habe ich einen Termin beim Friseur. Auf der Hochzeit möchte ich gern hübsch aussehen. Wann hättest du denn mal Zeit, vielleicht am Donnerstag? Ich hole dich um vier Uhr vom Büro ab, dann gehen wir einkaufen.

Mann: Ja, das geht, glaube ich – nein, doch nicht! Am Donnerstag muss ich nach Leipzig fahren, tut mir leid, das geht wirklich nicht.

Frau: Aber hör mal, dann bleibt ja nur noch der Mittwoch, und da kann ich nicht, weil ich auf die Kinder aufpassen muss.

Mann: Na ja, für mich wäre es auch sehr schwierig, mittwochs bin ich immer im Sportverein, die Jungs warten auf mich. … Sag mal, kannst du nicht vielleicht den Friseurtermin verlegen? Wenn du am Donnerstag zum Friseur gehst, können wir am Freitagnachmittag ein Geschenk für Teresa kaufen.

Frau: Ich kann's ja mal versuchen. Ich ruf erst den Friseur an, dann sage ich dir Bescheid, okay?

Übungen zum Hörverstehen Teil 1

Beispiel Seite 22

Guten Tag, Frau Fischer, hier spricht die Reparaturwerkstatt Hensel. Die Reparatur an Ihrem Wagen wird nun leider doch sehr viel teurer, als wir gedacht hatten. Rufen Sie bitte morgen Vormittag an und fragen Sie nach Herrn Braun.

1. Seite 22

Hier ist die Praxis von Dr. Herwig. Die Praxis ist am Montag, Dienstag und Donnerstag von 9.30 bis 13.00 Uhr geöffnet. In dringenden Fällen können Sie uns unter der Nummer 16 09 33 87 38 0 erreichen. Wenn Sie eine Nachricht hinterlassen möchten, sprechen Sie bitte nach dem Signalton.

2. Seite 22

Hier ist Katrin. Ich habe schon zweimal angerufen. Es tut mir leid, dass ich heute nicht kommen kann. Ich will dir wirklich gern in deiner neuen Wohnung helfen, aber heute Abend geht es nicht. Ich komme bestimmt morgen Abend, aber ich kann nicht vor halb neun bei dir sein. Ruf mich doch bitte auf dem Handy an!

3. Seite 22

Hallo Manuela, warum meldest du dich nicht? Wo bleibst du denn? Ich warte schon seit 20 Minuten hier vor dem Theater. Ich muss jetzt reingehen, es fängt gleich an. Du kannst deine Eintrittskarte an der Kasse abholen. Hoffentlich kommst du jetzt bald! Also bis später im Theater.

4. Seite 22

Die von Ihnen gewünschte Telefonnummer lautet 32 44 59 7. Die Vorwahlnummer ist 0421. Wenn Sie mit der Nummer verbunden werden möchten, bleiben Sie bitte am Apparat.

5. Seite 22

Hier ist Sylvia, ich weiß jetzt, wo der Film gezeigt wird: Im Naturkundemuseum, und zwar im 3. Stock, Raum 16. Wir treffen uns um zehn vor acht im dritten Stock, okay?

6. Seite 22

Guten Tag, Frau Siepmann, hier spricht Frau Schneider von der Personalabteilung. Sie arbeiten normalerweise immer nur vormittags bei uns. Jetzt haben wir aber leider zwei Krankheitsfälle. Könnten Sie vielleicht in den nächsten Tagen auch am Nachmittag bleiben? Wir brauchen Sie unbedingt am Mittwoch, Donnerstag und Freitag den ganzen Tag. Bitte, kommen Sie morgen früh in mein Büro und geben Sie mir Bescheid.

7. Seite 22

Guten Tag, Sie sind mit der Firma Telstart verbunden. Wenn Sie eine Bestellung aufgeben möchten, drücken Sie bitte die Nummer 1; wenn Sie Informationen zu unserem Warenangebot brauchen, drücken Sie Nummer 2. Wenn Sie andere Wünsche haben, bleiben Sie am Apparat.

8. Seite 22

Hallo Jens, hier spricht Katrin, ich habe ein großes Problem, du musst mir unbedingt helfen! Ich komme heute Abend erst sehr spät nach Hause und mein Hund ist allein in der Wohnung. Bitte geh zu mir in die Wohnung und lass den Hund in den Garten. Der Schlüssel zum Garten liegt auf dem Tisch. Du musst aber gleich hingehen, Alex macht immer alles kaputt, wenn er so lange allein ist.

9. Seite 22

Hier ist die Telefonansage der Familie Ostermann. Wir sind umgezogen. Unsere Adresse ist jetzt: Lindenerstraße 12 und die neue Telefonnummer ist: 56 73 29 9.

10. Seite 22
Guten Tag, hier ist Frau Schmidt, Ihre Nachbarin. Heute Morgen ist mit der Post ein Paket für Sie gekommen. Der Postbote hat es bei mir abgegeben, weil Sie nicht zu Hause waren. Leider bin ich heute Abend nicht da, aber morgen Vormittag können Sie es bei mir abholen, ich bin sicher bis 13.00 Uhr zu Hause.

Übungen zum Hörverstehen Teil 2

Beispiel Seite 23
Liebe Zuhörerinnen und Zuhörer, das war das Mittagskonzert vom Südwestfunk. Es folgen jetzt die Nachrichten mit dem Wetterbericht und um 14.00 Uhr die „Sendung mit der Biene" für unsere Kleinen. Um 14.30 gibt es Musik aus Südamerika, live bei uns im Südwestfunk! Um 15.00 Uhr kommt wie jeden Nachmittag die Sendung „Zu Gast im Studio" mit Rita Petersen, heute zum Thema „Essen die Deutschen zu fett?" Wir wünschen Ihnen einen angenehmen Nachmittag.

1. Seite 23
Das Tief, das von Norden nach Süden zieht, erreicht morgen auch Bayern. In unserem Sendebereich scheint am Vormittag noch die Sonne, aber ab Mittag ist der Himmel bedeckt und es ist mit vereinzelten Regenschauern zu rechnen. Im Gebirge kommt es ab 1500 m zu Schneefällen. Eine Warnung für die Autofahrer: Wenn Sie in die Berge fahren wollen, müssen Sie mit Schnee und Eis rechnen!

2. Seite 23
Liebe Zuhörer, jetzt geht es weiter mit dem Horoskop für heute, den 28. August: Der heutige Tag steht im Sternzeichen der Jungfrau. Wissen Sie, dass es auch der Geburtstag eines unserer größten Dichter ist? Johann Wolfgang von Goethe, auch er wurde unter diesem Sternzeichen geboren.

3. Seite 23
Bei unserem Gewinnspiel für Jugendliche geht es heute um Literatur. Wie heißt die weibliche Hauptperson in Friedrich Schillers Drama „Kabale und Liebe"? Wenn ihr die Lösung gefunden habt, ruft bitte sofort bei uns an. Der erste Preis ist ein Theaterbesuch in Berlin, der zweite und dritte Preis sind Musik-CDs. Also, wer weiß die Lösung schon?

4. Seite 23
Jetzt noch ein paar Mitteilungen für die Autofahrer: Auf der Autobahn Hamburg–Berlin kommt es wegen des Wochenendverkehrs zu Stauungen. Vor der Ausfahrt Berlin-Mitte ist mit Wartezeiten zu rechnen. In der Gegend von Wolfsburg gibt es heute Abend Nebelfelder und Sichtweiten unter 20 Metern. Alle Autofahrer auf der Autobahn Hamburg–Berlin werden gebeten, wegen des Nebels besonders vorsichtig und aufmerksam zu fahren.

5. Seite 23
Liebe Zuhörerinnen und Zuhörer, das war der Walzer „An der schönen blauen Donau" mit den besten Wünschen für Herrn Simon Balduin, der heute seinen 65. Geburtstag feiert. Die Glückwünsche kommen von seiner Tochter Michaela und von den Enkelkindern Isabella und Martin.

6. Seite 23
Zum Schluss noch ein paar Empfehlungen für den Wochenendausflug. Da ist einmal der Flohmarkt in Heinrichshausen, mit der S-Bahn Linie 4 leicht zu erreichen. Dann gibt es in Muttlingen ein Stadtfest mit Musik, Feuerwerk und gutem Essen. Nach Muttlingen kommen Sie mit Auto oder Fahrrad am besten auf der Landstraße in Richtung Weidenau.

7. Seite 23
Natürlich will ich Ihnen nun auch verraten, wie man den russischen Salat zubereitet. Sie brauchen dazu Kartoffeln, Eier und gekochtes Gemüse. Die Kartoffeln und die Eier müssen Sie kochen und in Scheiben schneiden. Für die Soße nehmen Sie Öl, Essig und Salz. Servieren Sie den Salat gut gekühlt mit Weißbrot.

8. Seite 23
Das waren die Nachrichten vom Nordwestfunk. Es folgt jetzt der Bericht aus der Landwirtschaft. Um 10.30 Uhr hören Sie eine Musiksendung aus dem Bremer Konzerthaus, um 12.00 Uhr kommen wieder die neuesten Nachrichten und um 12.15 geht es weiter mit Musik für unterwegs.

9. Seite 23
Wenn Sie an der Sendung teilnehmen wollen, müssen Sie uns sofort Ihre persönlichen Daten mitteilen. Schicken Sie Ihren Namen und Ihre Adresse an Radio Bremen, Kennwort „Familienquiz". Natürlich können Sie uns auch anrufen oder eine E-Mail schicken.

10. Seite 23
Hier bei uns im Studio ist heute Frau Angela Muthesius, Präsidentin der „Grünen Liste" in Tornesch in Schleswig-Holstein. Frau Muthesius hat sich immer für Politik interessiert, aber es ist nicht ihr Beruf. Bis vor drei Monaten war sie als Französischlehrerin an der Gesamtschule in Elmshorn tätig. Nebenbei hat sie immer für die Regionalzeitung gearbeitet. Aber auch das war

nur ein Hobby. Frau Muthesius, wie sind Sie denn nun zur Politik gekommen?

Übungen zum Hörverstehen Teil 3

1. Seite 24

Mann: Hallo Manuela, ich bin's, Johannes. Es tut mir leid, dass ich dich stören muss, aber ich glaube, ich habe meine Schlüssel bei dir vergessen.

Frau: Was, deine Schlüssel? Wo denn?

M: Ja, das weiß ich nicht so genau, vielleicht im Flur, schau doch mal nach.

F: Nein, im Flur sind nur eine Menge Schuhe.

M: Oh mein Gott, dann weiß ich auch nicht so recht weiter – bitte guck doch mal im Wohnzimmer nach. Siehst du sie dort nicht auf dem Tisch?

F: Nein, auf dem Wohnzimmertisch liegt nur ein Pullover.

M: Wieso denn ein Pullover? Ich habe gedacht, da liegen vielleicht meine Schlüssel – sieh doch mal bitte neben dem Telefon im Wohnzimmer nach, vielleicht sind sie da!

F: Nein, da liegt nur eine U-Bahn-Fahrkarte – ist das deine?

M: Nein, das ist nicht meine, Manuela, bitte, ich suche meine Schlüssel! Wo bist du jetzt?

F: Ich stehe immer noch hier im Wohnzimmer. Was soll ich denn jetzt tun?

M: Bitte such meine Schlüssel, ich komme nämlich sonst nicht in meine Wohnung, kannst du das nicht verstehen?

F: Aha, und wo sollen diese Schlüssel sein?

M: Vielleicht sind sie auf dem Schrank im Wohnzimmer? Schau doch mal nach!

F: Nein, auf dem Schrank ist nur ein Handy, tut mir leid! Hast du das Handy eigentlich hier vergessen?

M: Das ist nicht mein Handy, dann könnte ich dich doch gar nicht anrufen! Geh mal in die Küche, siehst du meine Schlüssel da auf dem Kühlschrank?

F: Nein, da sind auch keine Schlüssel, auf dem Kühlschrank liegt aber ein Buch, ist das vielleicht deins?

M: Ich glaube nicht, aber schau jetzt doch mal bitte neben den Fernsehapparat, siehst du da meine Schlüssel?

F: Nein, neben dem Fernsehapparat liegt nur eine CD, die ich nicht kenne, ist die von dir?

M: Oh Gott, das weiß ich nicht, ich brauche doch nur meine Schlüssel!

F: Also weißt du was? Komm doch her und such sie selbst!!

2. Seite 24

Mann: Hallo Lucy, hier ist Christoph, wann hast du nun endlich Zeit für mich?

Frau: Das ist ziemlich schwierig, Christoph, ich habe viel zu tun, weißt du.

M: Also bitte Lucy, was machst du morgen?

F: Morgen, das ist Mittwoch, oder? Da bin ich im Fitness-Club. Tut mir leid.

M: Kannst du darauf nicht verzichten? Musst du unbedingt in diesen Club gehen?

F: Nein, eigentlich nicht, aber was schlägst du denn vor?

M: Ich wollte mit dir essen gehen oder so, was machst du denn am Freitag?

F: Am Freitag geht es überhaupt nicht, da ist immer mein Koch-Tag, da koche ich für meine Freundinnen, da habe ich keine Zeit.

M: Aha, und was machst du am Samstag? Musst du da auch Besuch empfangen?

F. Aber nein, Christoph, überhaupt nicht, am Samstag gehe ich mit Karla zum Schwimmen, und nachher gehen wir dann noch Pizza essen, das ist immer ganz toll.

M: Aha, und am Donnerstag, hast du da Zeit?

F: Nein, Donnerstag ist eigentlich nicht so ein guter Tag. Da bin ich immer mit den Kindern beim Tennis spielen. Das finde ich ziemlich wichtig.

M: Und wann hast du Zeit für mich, Lucy?

F: Ach, vielleicht am Sonntag, Christoph, da hätte ich Zeit!

M: Aber am Sonntag gehe ich immer zum Golfspielen, das weißt du doch, Lucy. Am Sonntag geht es nicht.

F: Tja, dann geht es wohl überhaupt nicht!

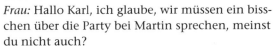

3. Seite 25

Frau: Hallo Karl, ich glaube, wir müssen ein bisschen über die Party bei Martin sprechen, meinst du nicht auch?

Mann: Ja Hella, du hast Recht, was sollen wir machen?

F: Also, ich würde sagen, du, Karl, rufst alle Leute an und lädst sie ein, okay?

M: Ja, gut, Hella, und was soll es zu Essen geben?

F: Also, Frieda macht die Salate, das macht sie immer wunderbar.

M: Ja, und was gibt es nach dem Salat?

F: Tja, Karl, was würdest du denn vorschlagen?

M: Hella, was ist denn mit deinem berühmten Seeräuberbraten? Du weißt doch, den essen immer alle sehr gern.

F: Gut, gut, ich mache einen Braten, und was soll es noch geben? Zum Fleisch brauchen wir eigentlich Kartoffeln oder so etwas.
M: Wir können doch bei Martin Pommes frites machen, das geht ganz schnell. Ich kaufe sie im Supermarkt und bringe sie mit.
F: Die mag ich ja nicht so gern, aber wenn du meinst … also Pommes frites. Und weiter?
M: Ich kümmere mich um den Nachtisch: Ich kaufe eine Erdbeer-Torte, ist das okay?
F: Ja, wunderbar, aber wir brauchen auch etwas zu trinken. Kaufst du ein paar Flaschen Weißwein?
M: Nein, das ist Martins Aufgabe, er hat gesagt, dass er genug Getränke im Haus hat, wir sollen nichts mitbringen.
F: Meinst du, wir müssen auch noch Eis kaufen?
M: Michael hat gesagt, er bringt eine Packung Eis mit, ich glaube, das genügt!
F: Dann haben wir eigentlich alles, prima!

Modul 5: Simulation

Hören Teil 1 Seite 103
Beispiel
Guten Tag Herr Müller, hier ist die Werkstatt Riegler. Ihr Wagen ist fertig! Sie können das Auto morgen abholen. Wir haben ab neun Uhr geöffnet.

1.
Hallo Eva, hier ist Christina. Ich habe schon ein paar Mal angerufen, ich kann heute Abend nicht kommen, es tut mir leid! Ich bin immer noch in Berlin und komme erst morgen Abend zurück. Vielleicht können wir uns am Samstag treffen, was meinst du? Bitte, ruf mich doch auf dem Handy an!

2.
Guten Tag, Frau Bollwitsch, hier ist die Bäckerei Meierlein in der Elisabethstraße. Sie haben heute Morgen Ihren Ausweis bei uns im Geschäft verloren. Sie können ihn hier abholen. Die Bäckerei ist werktags bis zwanzig Uhr geöffnet. Auf Wiedersehen.

3.
Hallo Roland, hier ist Franziska. Ich komme heute Abend sehr spät nach Hause, tut mir leid. Und der Kühlschrank ist leer, kannst du vielleicht noch einkaufen gehen? Wir brauchen Brot, Käse, Eier und etwas Salat. Du bekommst das alles in dem kleinen Laden an der Ecke. Tschüss, bis heute Abend.

4.
Hier spricht die Telefonauskunft. Die gewünschte Nummer ist 45 61 711. Die Vorwahl ist 030. Wenn Sie noch weitere Auskünfte brauchen oder wenn Sie verbunden werden wollen, bleiben Sie bitte am Apparat.

5.
Hallo Erika, wir wollen heute Abend ins Kino gehen, kommst du mit? Wir treffen uns alle um sieben auf dem Michaelisplatz am U-Bahn-Eingang, du kennst das ja schon. Bitte, komm doch mit, Erika! Wir wollen zuerst etwas essen, es wird bestimmt lustig! Also bis heute Abend.

Hören Teil 2 Seite 104
Beispiel
Liebe Hörerinnen und Hörer, guten Abend, es ist in diesem Moment neunzehn Uhr. Wir begrüßen Sie zu unserem Abendprogramm: Wir beginnen sofort mit den „Nachrichten um neunzehn Uhr".

6.
Liebe Hörerinnen und Hörer, es ist jetzt zwölf Uhr und hier ist wieder „Das große Musikquiz" mit Rudi Westphal. Eine Stunde lang unterhalten wir Sie mit lustigen Fragen und Melodien, dann kommen die Mittagsnachrichten und um dreizehn Uhr dreißig geht es dann weiter mit viel Spaß und Musik. Also, die Nachrichten hören Sie um dreizehn Uhr und jetzt geht es los mit unserer ersten Frage …

7.
Es folgt der Wetterbericht. Die Großwetterlage bleibt weiterhin unstabil. Heute kommt es im Norden zu wiederholten Regenfällen. Auch morgen wird es noch kühl und regnerisch bleiben. Im Süden scheint ab und zu die Sonne, aber auch dort steigt die Temperatur nicht über acht Grad.

8.
Mit diesem Musikstück schicken wir die besten Wünsche zum Geburtstag an Herrn Niemeyer in Köln Süd. Herr Niemeyer feiert heute seinen 72. Geburtstag und die Glückwünsche kommen von seiner Schwester aus Berlin. Auch wir von Radio Bayern gratulieren herzlich! Herr Niemeyer in Köln Süd, dieses Lied ist für Sie!

9.
Jetzt noch eine Verkehrsdurchsage: In Nauheim wird heute das große Stadtfest gefeiert, deshalb ist die Innenstadt für den Autoverkehr gesperrt. Wenn Sie am Stadtfest teilnehmen wollen, können Sie auf dem Sportplatz parken. Es gibt eine Busverbindung zum Stadtzentrum. Autofahrer

auf dem Weg nach Wiesbaden können die B 23 benutzen.

10.

Es folgt jetzt unsere Sendung für die Literaturfreunde. Erika Hillmann liest aus ihren Lieblingsbüchern der Woche. Unsere Hörerinnen und Hörer haben die Möglichkeit im Studio anzurufen. Wenn Sie mit Frau Hillmann sprechen wollen, wählen Sie bitte die Nummer 040 32 32 40. Nach jeder Leseprobe gibt es eine Pause für Ihre Fragen und Kommentare. Sie erreichen uns unter der Nummer: 040 32 32 40.

Hören Teil 3 Seite 105

Beispiel:

Möbelhändler: Guten Tag, Frau Nimbus, ich freue mich sehr, dass Sie uns angerufen haben. Ich bin ganz sicher, dass Sie mit uns den richtigen Partner gefunden haben. Welche Möbel wollen Sie denn verkaufen?

Frau Nimbus: Ja, da ist hier im Flur dieser kleine Schrank, den brauchen wir nicht mehr. Ich glaube, das ist ein sehr schöner Schrank, er ist von meiner Großmutter.

M: Hm, er ist ein bisschen kaputt, nicht wahr, was haben Sie denn sonst noch?

11.

F: Kommen Sie doch bitte in die Küche, möchten Sie vielleicht eine Tasse Kaffee? Ich glaube, er ist noch warm.

M: Nein danke, ich möchte lieber keinen Kaffee. Gibt es hier in der Küche auch etwas, das Sie verkaufen wollen?

F: Ja, der Kühlschrank. Der ist jetzt zu groß für uns. Die Kinder wohnen nicht mehr hier und ich möchte lieber einen kleineren Kühlschrank.

M: Der ist aber ziemlich alt, oder? 20 Jahre? 30 Jahre?

12.

F: Na und? Der geht noch wunderbar! Aber kommen Sie jetzt mal ins Wohnzimmer, da steht das Sofa. Das ist auch von meiner Großmutter, das gefällt Ihnen bestimmt.

M: Ja, das ist tatsächlich ein schönes Stück! Aber sagen Sie mal, hat das Sofa immer diese Farbe gehabt?

13.

F: Nein, früher war es rot, aber das fand ich nicht so gut. – Also, das hier ist das Arbeitszimmer. Mein Mann braucht den Schreibtisch jetzt nicht mehr, deshalb wollen wir ihn verkaufen. Er ist auch zu groß, finde ich.

M: Oh, der ist aber sehr schön! Wunderbares Holz!

F: Ja, wir finden ihn auch schön, aber wir wollen das Arbeitszimmer anders einrichten.

M: Das kann ich gut verstehen. Gibt es noch mehr Möbel?

14.

F: Ja, die Stühle hier im Esszimmer, die wollen wir auch verkaufen. Es sind acht Stühle. Hoffentlich gefallen sie Ihnen.

M: Nun ja, die finde ich nicht so toll. Wollen Sie den Tisch auch verkaufen?

F: Nein, nur die Stühle, der Tisch ist sehr praktisch, den will ich behalten.

M: Also, ich weiß nicht, Frau Nimbus …

15.

F: Ja gut, dann sind da noch die Betten im Kinderzimmer, die wollen wir verkaufen.
Die Kinder sind ja nun zu groß dafür.

M: Ja, aber wissen Sie Frau Nimbus, gebrauchte Betten kann man nicht so gut verkaufen. Antike Möbel gehen gut, aber …

Lösungsschlüssel

Wortschatz „Freunde"

1, Seite 6
a r; b f; c r; d r; e r; f f; g r; h f; i f; j r; k r

2, Seite 6
unfreundlich; unsympathisch; hässlich; dünn; unruhig; unhöflich; traurig; laut; klein; alt

3, Seite 6
Mögliche Lösung:
b Seine Schwester ist sehr lustig. c Sie ist 19 und studiert an der Universität. d Ihre Lieblingsfarbe ist Rot, sie trägt meistens rote Kleider. e Elisabeth hat viele Freunde. Sie gehen oft zusammen tanzen. f Ihre Freunde sagen, dass sie ziemlich verrückt ist. g Elisabeth wohnt mit zwei Freundinnen zusammen. h Elisabeth kocht am Abend. i Sie geht gern ins Kino, am liebsten sieht sie Liebesfilme. j Am Wochenende macht Elisabeth gern Ausflüge und hat Spaß mit ihren Freundinnen. k Sie fährt im Urlaub ins Ausland, weil sie Fremdsprachen lernen möchte.

4, Seite 7
Im Café: d, j, h, l, e, a
Im Büro: b, i, g, c, f, k

5, Seite 8
1 a; 2 c; 3 b; 4 b; 5 a; 6 c; 7 a; 8 c

6, Seite 8
1 c; 2 e; 3 n; 4 o; 5 b; 6 q; 7 k; 8 p; 9 d; 10 j; 11 i; 12 h; 13 m; 14 g; 15 l; 16 f; 17 a

Wortschatz „Umwelt"

1, Seite 9
Mögliche Lösungen:
A
…, weil ich jede Woche ins Theater gehe.
…, weil es dort mehr Geschäfte gibt.
…, weil ich an der Universität studieren möchte.
…, weil man dort bessere Arbeitsplätze findet.
…, weil die Kinos in der Stadt mehr Filme zeigen.
…, weil es dort viele verschiedene Restaurants gibt.
…, weil meine Freunde auch in einer großen Stadt wohnen.
…, weil ich oft ins Museum gehe.
…, weil ich gern in die Einkaufsstraßen gehe.
B
…, weil ich frische Luft liebe.
…, weil es dort weniger Autos gibt.
…, weil ich schöne Landschaften mag.
…, weil meine Familie auch in einem Dorf lebt.
…, weil es dort keine Industrie gibt.
…, weil ich dort einen großen Garten haben kann.
…, weil ich große Bäume gern mag.

…, weil ich gern in den Bergen wandere.
…, weil ich nicht mit so vielen Menschen zusammenleben will.

2, Seite 10
a f; b f; c r; d r; e r; f r; g r; h f

3, Seite 10
1 f; 2 m; 3 b; 4 l; 5 g; 6 j; 7 k; 8 h; 9 d; 10 a; 11 e; 12 c; 13 i

4, Seite 11
1 a; 2 c; 3 c; 4 b; 5 a; 6 c; 7 a; 8 b

5, Seite 11
a dick – groß; b Leute – Einwohner; c Meer – Fluss; d Dörfer – Geschäfte; e Berge – Großstadt; f Fabrik – Luft; g Landschaft – Nähe; h gemacht – renoviert; i scheint – regnet

Wortschatz „Radio, Fernsehen"

1, Seite 13
a 6; b 1; c 7; d 2; e 3; f 8; g 5; h 4

2, Seite 13
a r; b f; c r; d f; e f; f r

3, Seite 14
1 c; 2 a; 3 b; 4 b; 5 b; 6 c; 7 b; 8 a

4, Seite 14
1 i; 2 g; 3 f; 4 b; 5 h; 6 a; 7 e; 8 j; 9 c; 10 d

Die Hörsituation

1 c, Seite 16
Susi und Jan sind Touristen.
In die Fußgängerzone gehen, ein Picknick machen, das Museum besichtigen.
Wo ist das Museum? Wie kommen wir in die Fußgängerzone?

1 d, Seite 16
a Ins Domcafé, frühstücken.
b Das Museum.
c In den Dom gehen
d Im Stadtzentrum.
e Am Fluss.
f Am Nachmittag.
g Um sieben.

2 a, Seite 17
Ein Unfall.
Sie streiten sich.
Sie müssen das bezahlen! Die Ampel war rot!
Rufen Sie die Polizei!

2 b, Seite 17
a r; b f; c f; d r; e f; f r; g r

3 a, Seite 17
1. Über das Fernsehen.
2. Ist Fernsehen schädlich für Kinder?

3 b, Seite 18
a r; b f; c f; d r

4 a, Seite 18
1. Am Flughafen/Am Bahnhof.
2. Herr Simon soll kommen.
4 b, Seite 18
b
5 a, Seite 18
1. Im Radio. / Im Fernsehen.
2. Wie ist das Wetter morgen?
5 b, Seite 19
c

Globales Hörverstehen
a. Dialog 1, Seite 19
1. Nein.
2. Nein, sie ist jung.
b. Dialog 2, Seite 19
1. Er will etwas verkaufen.
2. Nein, sie will nichts kaufen.
c. Dialog 3, Seite 20
1. Ja.
2. Schlecht, sie will das nicht machen.
d. Dialog 4, Seite 20
1. Nein, sie ärgert sich.
2. Nein.

Selektives Hörverstehen, Seite 20, 21
1 4577233
2 Freitagabend
3 1 Euro 95
4 c
5 b
6 Di Arbeit; Mi im Sportverein; Do nach Leipzig
fahren

Übungen zum Hörverstehen
Hörverstehen Teil 1, Seite 22
1 160 93 38 73 80
2 morgen Abend, halb neun
3 an der Kasse.
4 32 44 59 7
5 3. Stock, Raum 16
6 Mittwoch, Donnerstag und Freitag
7 Bestellung aufgeben
8 auf dem Tisch
9 56 73 29 9
10 13.00 h.

Hörverstehen Teil 2, Seite 23

1 c	6 b
2 b	7 c
3 c	8 c
4 a	9 a
5 c	10 a

Hörverstehen Teil 3
1, Seite 24
1 e; 2 h; 3 c; 4 b; 5 d
2, Seite 24
1 b; 2 f; 3 a; 4 g; 5 d
3, Seite 25
1 b; 2 g; 3 e; 4 f; 5 c

Modul 2 Lesen

Wortschatz „Essen und Trinken"
2, Seite 26
a r; b f; c f; d r; e f; f r; g r
3, Seite 27
Zu Hause: 1 f; 2 a; 3 g; 4 c; 5 k; 6 h
Im Restaurant: 1 d; 2 j; 3 b; 4 e; 5 l; 6 i
4, Seite 27
1 a; 2 b; 3 b; 4 c; 5 b; 6 a; 7 b; 8 c
5, Seite 28
a 6; b 4; c 1; d 8; e 2;f 3; g 5; h 7
6, Seite 29
1 m; 2 t; 3 a; 4 d; 5 s; 6 l; 7 c; 8 b; 9 p; 10 q; 11 r; 12
u; 13 j;14 n; 15 h; 16 v; 17 i; 18 g; 19 k; 20 f; 21 o;
22 e

Wortschatz „Arbeit, Beruf"
1, Seite 30
arm; hoch; dünn; billig/preiswert; traurig; gut;
neu/jung; frei; langsam; schmutzig; ein-
fach/unkompliziert; kurz; wenig; brutto
2, Seite 31
a f; b r; c r; d f; e r; f f
3, Seite 31
b das richtige Spiel – den richtigen Job; c Stellen-
versuche – Stellenangebote; d Telefon – Internet;
e auf dem Land – im Ausland; f schläft – träumt;
g Job – Geld; h Arbeitszeit – Freizeit
4, Seite 32
Auf der Straße: 1 f; 2 d; 3 b; 4 l; 5 j; 6 h
Im Personalbüro: 1 i; 2 c; 3 a; 4 e; 5 k; 6 g
5, Seite 32
1 a; 2 c; 3 b; 4 b; 5 a, 6 a; 7 b; 8 b; 9 a; 10 b

Wortschatz „Freizeit, Unterhaltung"
1, Seite 34
Mögliche Lösung:
b Ich wandere in den Bergen. c Ich spiele mit
Freunden Tennis. d Ich gehe einmal die Woche
schwimmen. e Ich gehe ins Kino und sehe Liebesfilme. f Ich gehe in die Disko. g Ich treffe mich mit
meinen Freunden und wir gehen in die Kneipe.
h Abends sehe ich manchmal fern. i Ich lese gute
Bücher. j Ich fahre gern Fahrrad. k Ich gehe mit
meinem Hund spazieren. l Ich spiele am Computer.

2, Seite 34

Name	Arbeit?	Hobby?	Wo?	Mit wem?
Julia	Kellnerin, Studentin	Schoppen	im Stadtzentrum	mit Freundinnen
Philipp	arbeitslos	wandern	in den Bergen	allein
Gertrud	Lehrerin	Filme sehen, keins	zu Hause	mit der Tochter
Jan	Programmierer	Sport, Basketball	in der Sporthalle	mit Kollegen

3, Seite 35
a 7; b 6; c 1; d 5; e 2; f 8; g 3; h 4
4, Seite 35
1 b; 2 c; 3 a; 4 b; 5 a; 6 b; 7 a; 8 b
5, Seite 36
a r; b f; c r; d f; e f; f f

Globales Leseverstehen

1, Seite 38
Text a – Bild 2 (Köln)
Text b – Bild 3 (Berlin)
Text c – Bild 1 (Hamburg)
Schlüsselwörter:
a. gotische Architektur, Dom, Domplatz
b. Hauptstadt DDR, das berühmte Tor
c. Hafen, Schiffe, Kanal
2, Seite 39
a 2; b 4; c 5
Schlüsselwörter:
a. früh aufstehen, Tiere, verdient, keine Ferien
b. Berufskleidung, Kleidung, Manager
c. Ideen, später machen, Beruf, Wohnung, Freizeit
3, Seite 40
a 5; b 3; c 2;
Schlüsselwörter:
a. wiedersehen, kommen, bei mir wohnen
b. glücklich, Geschenk
c. Drucker, nicht angekommen, Bestellung, zurück

Selektives Leseverstehen

1, Seite 41
a Zeile 3, 4; b Zeile 7; c Zeile 9; d Zeile 12
2, Seite 42
b
3, Seite 42
c
4, Seite 43
a r; b f; c r; d f; e f; f r

Detailliertes Leseverstehen

1, Seite 44
1 d; 2 b; 3 c; 4 h; 5 e; 6 a; 7 f; 8 g;
2, Seite 44
a 3; b 4; c 2; d 5; e 1

Übungen zum Leseverstehen
Leseverstehen Teil 1

1, Seite 45
1 a; 2 b; 3 a; 4 b; 5 c;
2, Seite 46
1 a; 2 b; 3 c; 4 b; 5 b
3, Seite 47
1 a; 2 a; 3 b; 4 a; 5 c

Leseverstehen Teil 2

1, Seite 48
1 f; 2 r; 3 f; 4 f; 5 r
2, Seite 49
1 r; 2 f; 3 f; 4 f; 5 f

Leseverstehen Teil 3, Seite 50/51

1 e; 2 g; 3 c; 4 X; 5 d

Modul 3 Schreiben

Wortschatz „Wohnen"

1, Seite 52
Anzeige 1: b, g Anzeige 2: c, f keine Anzeige: d, e, h
2
a 2; b 5; c 4; d 7; e 1; f 8; g 3; h 6
3
..., wenn der Balkon groß genug ist. ..., wenn es einen Aufzug gibt. ..., wenn sie nicht zu teuer ist. ..., wenn das Bad renoviert ist. ..., wenn Hunde erlaubt sind. ..., wenn sie in der Nähe der Universität liegt. ..., wenn ich die Möbel behalten kann.
4, Seite 53
b Herd; c Schild; d Bett; e Mülltonne; f Dusche
5, Seite 54
1 b, 2 c; 3 a; 4 b; 5 b; 6 c; 7 b; 8 b
6, Seite 55
1 l; 2 k; 3 a; 4 b; 5 i; 6 n; 7 g; 8 c; 9 j; 10 p; 11 f; 12 q; 13 o; 14 h; 15 r; 16 e; 17 m; 18 d

Wortschatz „Körper, Gesundheit"

1, Seite 56
2. das Gesicht, 3. das Auge, 4. der Mund, 5. der Zahn, 6. der Hals, 7. der Arm, 8. die Hand, 9. der Bauch, 10. der Magen, 11. das Bein, 12. der Fuß, 13. der Rücken

2, Seite 57

a f; b f; c r; d f; e f; f r; g f

3

sauer; gesund; stark; kalt; dünn; leer; unvorsichtig; intelligent; draußen; arm

4, Seite 58

„Im Büro" g, c, i, a, l, e;

„In der Praxis" h, d, k, b, f, j

5, Seite 58

1 b; 2 c; 3 b; 4 c; 5 a; 6 b; 7 c; 8 c

Wortschatz „Reisen"

2, Seite 60

a 3; b 5; c 1; d 8; e 7; f 4; g 2; h 6

3, Seite 61

a r; b f; c r; d r; e r; f f; g f; h r

4, Seite 62

1 i; 2 s; 3 a; 4 o; 5 f; 6 m; 7 j; 8 b; 9 e; 10 t; 11 h; 12 k; 13 r; 14 g; 15 n; 16 d; 17 q; 18 l; 19 u; 20 p; 21 c

5, Seite 62

1 a; 2 b; 3 c; 4 b; 5 c; 6 b; 7 a; 8 c

Tipps zum Schreiben
Sätze bauen

1, Seite 64

Liebe Marion,

ich freue mich sehr, dass Du mich besuchen willst! Erinnerst Du Dich noch an unser Wochenende in Berlin? Da haben wir so viel gelacht, dass ich Bauchschmerzen hatte. Wenn Du jetzt kommst, werden wir sicher wieder viel Spaß haben. Leider kann ich Dich am Freitag nicht abholen, weil ich erst um fünf aus dem Büro komme. Ich erkläre Dir den Weg zu meiner Wohnung, es ist ganz einfach: Du nimmst vor dem Bahnhof die Straßenbahn Linie 7 und steigst in der Erhardtstraße aus. Die erste Straße rechts ist dann schon die Blumenallee und unser Haus ist die Nummer 24. Du musst bei „Hanssmann" klingeln, meine Mutter ist zu Hause. Sie weiß, dass Du kommst, und freut sich auch. Hast Du alles verstanden? Wenn Du den Weg nicht findest, kannst Du mich natürlich auf dem Handy anrufen.

Am Freitagabend sind wir bei Jutta eingeladen. Du hast Jutta im letzten Jahr kennengelernt: Erinnerst Du Dich?

Pass auf, dass Du den Zug nicht verpasst!

Ganz liebe Grüße von Gisela

2, Seite 65

a Morgens fahre ich mit der Straßenbahn zur Arbeit. b Am Nachmittag geht Herr Meier mit seinem Hund spazieren. c Am Sonntag wollen wir ans Meer fahren. d Im Juli wollen Eva und Christian Urlaub machen. e Seit zwei Monaten hat sie einen neuen Arbeitsplatz in Berlin. f In der nächsten Woche bin ich bei meiner Freundin in Kassel.

3, Seite 65

a Komm doch mit, wenn Du Lust hast! b Wir machen einen Ausflug, wenn am Wochenende die Sonne scheint. c Ich will das Pergamonmuseum besuchen, wenn ich in Berlin bin. d Sie müssen eine Gebühr zahlen, wenn wir die Sachen ins Haus liefern sollen. e Die Fahrt ist 50% billiger, wenn Sie eine „Bahncard" haben. f Sie können nur mit dem Arzt sprechen, wenn Sie einen Termin haben.

4, Seite 66

a Ich suche eine neue Wohnung, weil mein Apartment zu klein ist. b Ich fahre im Urlaub nach Madrid, weil ich einen Spanischkurs machen will. c Ich habe im Prospekt gelesen, dass das Hotel direkt am Strand liegt. d Ich kenne Brigitte wirklich sehr gut, weil wir seit einem Jahr zusammenwohnen. e Der Arzt hat gesagt, dass Du das Medikament am Abend nehmen musst. f Ich muss mich um Michaels Katze kümmern, weil er in Urlaub gefahren ist.

Texte bauen

1, Seite 66

1 c; 2 b; 3 h; 4 d; 5 a; 6 e; 7 g; 8 f

2, Seite 67

Mögliche Lösung:

Liebe Frau Schmidt,

ich habe heute im Supermarkt Ihre Anzeige gelesen. Ich möchte mir gerade ein neues Fahrrad kaufen, habe aber nicht so viel Geld. Wie viel soll denn Ihr Fahrrad kosten? Und wann kann ich es mir ansehen? Am besten machen wir einen Termin am Telefon aus! Meine Nummer ist 0536/ 678 3029. Mit freundlichen Grüßen

3, Seite 68

Mögliche Lösung:

Liebe Erika,

herzlichen Dank für Deinen Brief! Ich finde Deinen Vorschlag sehr gut! Eine Schifffahrt auf dem Rhein ist eine tolle Idee; sicher werden wir viel Spaß haben. Leider bin ich am 16. Juni auf einer Dienstreise, deshalb kann ich nur am Samstag, 23. Juni feiern. Und ich möchte gerne Thomas und Elisabeth einladen, und Du? Ich rufe Dich am Sonntag an!

Liebe Grüße

Persönliche Daten

1, Seite 69

a per Post b Neumann c Eduard d 12.7.1972 e deutsch f verheiratet g Motorradmechaniker

h Beethovengasse 27 i 79104 Freiburg j 0761
349971 k – l Englisch m gut (zwei Jahre) n Gitarre
2
Mögliche Lösung:
Er ist 34 Jahre alt. Von Beruf ist er Motorradmechaniker. Er ist verheiratet, hat aber keine
Kinder. Er wohnt in Freiburg, in der Beethovengasse 27. In seiner Freizeit spielt er gern Gitarre
und macht lange Spaziergänge. Er lernt seit zwei
Jahren Englisch. Er mag keine Handys und keine
Computer.

Übungen zum Schreiben
Schreiben Teil 1
1, Seite 71
1 französisch 2 33700 Mérignac (France)
3 mferraud@wanadoo.fr 4 ein bis zwei Zimmer
5 ein halbes Jahr/ sechs Monate
2, Seite 72
1 31008 Krakau, Polen 2 13.01.1985 3 weiblich
4 Polnisch 5 sechs Monate Au-pair-Mädchen

Schreiben Teil 2
Mögliche Lösungen:
1, Seite 73
Liebe Elisabeth,
herzlichen Glückwunsch zu Deiner neuen Arbeit!
Ich finde es schön, dass Du jetzt nach Leipzig
ziehst. Natürlich will ich Dich gern dort besuchen.
Kann ich dann bei Dir übernachten? Brauchst
Du vielleicht noch etwas für Deine Wohnung?
Was soll ich Dir mitbringen? Antworte bald!
Liebe Grüße   (52 Wörter)
2, Seite 74
Lieber Miguel,
das ist wirklich eine tolle Idee! Aber Du weißt ja,
ich bin leider nicht sehr sportlich. Wie lange soll
die Fahrradtour dauern? Kann ich auch noch je-
manden mitbringen? Meine Freundin Tina ist bei
mir zu Besuch und sie will gern mitkommen. Am
Mittag können wir ein Picknick machen. Ich brin-
ge Brot, Käse und Obst mit.
Ich warte auf deine Antwort   (51 Wörter)
3, Seite 74
Sehr geehrte Frau Wiegand,
ich habe noch ein paar Fragen zu meinem neuen
Zimmer. Kann ich bei Ihnen in der Küche kochen?
Und darf ich am Wochenende Besuch bekommen?
Vielleicht möchte eine Freundin auch bei mir
übernachten, geht das? Und da ich sehr gern
Musik höre: Darf ich auch mal laute Musik hören?
Mit freundlichen Grüßen   (46 Wörter)

4, Seite 75
Liebe Karla, lieber Hermann,
Ihr wisst, dass ich Euren Hund mag, aber meine
Wohnung ist zu klein, er kann wirklich nicht bei
mir wohnen! Ich habe ja leider auch keinen Gar-
ten. Und Ihr wisst ja, dass ich jeden Tag acht
Stunden im Büro arbeiten muss, dann ist Toby
immer allein. Es tut mir sehr leid.
Am besten fragt Ihr Barbara; sie liebt Hunde und
sie hat einen Garten.
Liebe Grüße   (55 Wörter)
5, Seite 75
Sehr geehrte Damen und Herren,
im September möchte ich in Dresden Urlaub machen. Deshalb brauche ich noch ein paar Informationen über die Stadt: Können Sie mir ein billiges
Hotel empfehlen? Und ich möchte gern ein
Konzert besuchen! Können Sie mir das Konzert-
programm für September schicken?
Herzlichen Dank.   (41 Wörter)

Modul 4 Sprechen

Wortschatz „Termine, Verabredungen"
1, Seite 76
am Tag/tagsüber – am Montag/montags
am Morgen/morgens – am Dienstag/dienstags
am Vormittag/vormittags – am Mittwoch/
    mittwochs
am Mittag/mittags – am Donnerstag/donnerstags
am Nachmittag/nachmittags – am Freitag/freitags
am Abend/abends – am Samstag/samstags
in der Nacht/nachts – am Sonntag/sonntags
2, Seite 76
a Am Dienstag, 5. März, morgens um Viertel nach
acht. b Am Samstag, 16. Juni, am Nachmittag um
Viertel vor drei. c Am Mittwoch, 22. Oktober, am
Abend um acht. d Am Freitag, 14. November, in
der Nacht um halb eins. e Am Montag, 30. März,
am Mittag um Viertel vor zwölf. f Am Donnerstag,
28. März, am Nachmittag um zwanzig nach vier.
3, Seite 77
aufhören; dafür sein; den Zug verpassen; etwas
vergessen; weg sein; nie; einfach; schwer; später;
zuletzt
4, Seite 77
Auf der Straße: 1 c; 2 j; 3 h; 4 d; 5 b; 6 l
Am Telefon: 1 e; 2 k; 3 i; 4 a; 5 f; 6 g
5, Seite 78
1 a; 2 c; 3 b; 4 c; 5 a; 6 c; 7 b; 8 b
6, Seite 78
1 g; 2 i; 3 a; 4 e; 5 b; 6 h; 7 f; 8 d; 9 c

Wortschatz „Verkehr"

1, Seite 80

– Zug

der Anschluss / der Aufenthalt / der Automat /
der Bahnsteig / der Bildschirm / die Durchsage /
die Ermäßigung / die Gebühr / die Haltestelle /
die 2. Klasse

– Auto

die Ampel / die Autobahn / das Benzin / das Bremslicht / der Führerschein / das Kennzeichen / das Kfz /
der Pkw / der Lkw / das Öl / die Panne / der Parkplatz / der Reifen / die Tankstelle / der Unfall / die
Versicherung / die Steuer

– Straße

die Autobahn / die Brücke / die Feuerwehr / die
Gebühr / die Haltestelle / der Kreis / die Kreuzung /
der Parkplatz / die Straßenbahn / die Tankstelle /
der Unfall / der Verkehr / das Verkehrsschild

2, Seite 80

a f; b r; c r; d f; e f; f r; g r; h f

3, Seite 81

a. Ich gehe die erste Straße rechts, in die Hauptstraße. Ich gehe dann links, dann die Marktstraße
geradeaus über die Kreuzung. Da ist dann rechts
der Supermarkt.

b. Ich gehe die Bahnhofstraße geradeaus bis zur
zweiten Kreuzung. Dort gehe ich rechts. An der
nächsten Ecke ist das Rathaus. Der Eingang ist
rechts in der Marktstraße.

c. Ich gehe immer geradeaus, nach der dritten
Kreuzung ist links die Post.

d. Ich gehe die erste Straße rechts und dann
immer geradeaus, über die nächste Kreuzung. Da
ist dann gleich die Apotheke, auf der rechten Seite.

4, Seite 81

a 3; b 5; c 4; d 1; e 7; f 2; g 6

5, Seite 82

1 c; 2 b; 3 a; 4 c; 5 b; 6 c; 7 b; 8 b

Wortschatz „Ausbildung, Lernen"

1, Seite 83

a f; b r; c f; d f; e r; f f; g f

2, Seite 84

a 5; b 4; c 1; d 7; e 6; f 2; g 3

3, Seite 84

dumm; langweilig; leicht; kompliziert; geschlossen; schnell; kurz; laut; lustig; richtig;
teuer; dunkel

4, Seite 85

1 s; 2 p; 3 q; 4 a; 5 g; 6 u; 7 k; 8 b; 9 c; 10 n; 11 v;
12 e; 13 m; 14 h; 15 i; 16 f; 17 r; 18 d; 19 o; 20 t;
21 j; 22 l

5, Seite 86

1 c; 2 a; 3 b; 4 b; 5 b; 6 c; 7 c; 8 a

Tipps zum Sprechen
Sätze bauen

1, Seite 88

Mögliche Lösung:

a 2: Ich fahre zum Essen nach Hause. b 2: Meistens
esse ich bei meiner Familie. c 2: Ich treffe mich
mit meinem Freund. d 1: Nein, ich muss abends
lernen. e 2: Ich höre Musik oder ich spiele Fußball.
f 2: Wir treffen uns immer am Wochenende. g 1:
Ja, ich lese viel und sehe auch fern. h 2: Vielleicht
eine Stunde.

2, Seite 89

b Woher kommst du? c Wanderst du gerne?
d Wo wohnst du? e Wie alt bist du? f Isst du gern
Spaghetti? g Brauchst du einen neuen Pullover?

3, Seite 89

a 2; b 1; c 2; d 1; e 1; f 2; g 2; h 1

4, Seite 90

– Umwelt

die Mülltonne / das Wetter / der Berg / der Schnee /
die Welt / der See / die Landschaft / die Sonne / der
Strand

– Freizeit

der Sport / die Zeitschrift / der Ausflug / der See / der
Berg / die Kneipe / die Sehenswürdigkeit / der
Strand / der Verein / der Hund / das Schwimmbad

– Wohnen

der Schrank / das Erdgeschoss / der Keller / das
Dach / die Heizung / die Miete / der Briefkasten / der
Aufzug / die Treppe

– Arbeit

die Kündigung / die Bewerbung / die Firma / der
Chef / die Lehre / der Vertrag / der Kollege / der
Lohn / der Export

– Verkehr

die Ampel / die U-Bahn / der Fahrplan / die Haltestelle / das Fahrrad / der Reifen

– Lernen

die Hausaufgabe / das Zeugnis / die Prüfung / der
Kurs / die Note / der Unterricht / die Übung

5, Seite 90

Mögliche Lösungen:

Gesundheit: Wie geht es Ihnen? Wann wollen Sie
zum Arzt gehen? Warum waren Sie im Krankenhaus? Wie oft waren Sie in diesem Jahr krank? Was
fehlt Ihnen? Wie lange haben Sie schon Schmerzen? **Einkaufen:** Wo kaufen Sie am liebsten ein?
Wann gehen Sie einkaufen? Mit wem gehen Sie
gerne einkaufen? Wie viel Geld brauchen Sie für
Kleidung? Wie oft kaufen Sie ein? Was kaufen Sie
für den Urlaub? **Freizeit:** Was sehen Sie gern im
Fernsehen? Wann treffen Sie Ihre Freunde? Wie
lange bleiben Sie im Fitness-Club? Warum gehen
Sie gern ins Theater? Mit wem gehen Sie ins Kino?
Wie viel Freizeit haben Sie?

Texte bauen

1, Seite 91

1 g; 2 e; 3 h; 4 f; 5 b; 6 d; 7 a; 8 c

2, Seite 92

Mögliche Lösung:

Ich heiße Angelika Holthaus. Ich bin 35 Jahre alt. Ich bin Deutsche, ich komme aus Rostock. Jetzt wohne ich in Köln. Meine Muttersprache ist Deutsch. Ich kann ziemlich gut Englisch und ein bisschen Italienisch. Ich bin Ärztin. In meiner Freizeit reise ich gern. Im Sommer will ich nach Norwegen fahren.

3, Seite 92

Name – heiße; Monate – Jahre; ab – seit; ohne – mit; lebt – kann / spricht; bin – will / möchte; schwer – gut; sehe – lerne; früher – später; Klassen – Länder; schlafen – leben; lese – höre; Fuß – Rad / Fahrrad; verpassen – kennenlernen; keinen – jeden

Etwas vereinbaren

1, Seite 93

a 2; b 1; c 2; d 2; e 2

2, Seite 94

Mögliche Lösungen:

a Ich möchte gern etwas mit dir unternehmen, aber ich habe eine andere Idee: Es gibt einen sehr guten Film. Wollen wir den sehen? b Ja, lasst uns zusammen fahren! Aber ich möchte etwas vorschlagen: Warum fahren wir nicht nach Spanien? c Es tut mir leid, aber am Samstag muss ich arbeiten. d Schade, am Montag geht es nicht. Vielleicht geht es an einem anderen Tag? Ich rufe dich an. e Ich finde den Vorschlag gut! Wir können vielleicht einen Internetkurs besuchen …

Übungen zum Sprechen

Sprechen Teil 1

1, Seite 96/97

Mögliche Lösungen:

a

Ich heiße Steven Nicholsen. Ich bin 31 Jahre alt und komme aus England, aus London. Seit zwei Monaten wohne ich in Köln. Ich bin Fußballspieler von Beruf. Ich spreche natürlich Englisch und etwas Deutsch. Mein Hobby ist Reisen.

Ich habe schon als Kind mit dem Fußballspielen angefangen. Jetzt spiele ich beim FC – Liverpool, wir waren schon in Hamburg und in Recklinghausen.

b

Mein Name ist Raoul Ramirez. Ich bin 44 Jahre alt und ich komme aus Spanien. Früher habe ich in Barcelona gelebt, jetzt wohne ich in Hannover. Ich bin Techniker. Meine Muttersprache ist Spanisch,

ich kann aber auch gut Englisch und Italienisch und etwas Deutsch.

Ich mache viel Sport, Jogging und Inline-Skating. Filme und Theater finde ich nicht so interessant.

c

Ich bin Tereza Brari, ich bin 22 Jahre. Ich komme aus Albanien. Dort habe ich in Tirana als Bibliothekarin gearbeitet. Jetzt wohne ich in München, in Schwabing. Ich bin sehr gern hier. Ich kann Russisch sprechen, auch ein bisschen Englisch und Deutsch. Mein Hobby ist lesen und ich sehe gerne Liebesfilme.

Ich bin seit 6 Monaten in Deutschland. Ja, ich war auch schon in Berlin.

d

Ich heiße Zhou Gingxin und bin 25 Jahre alt. Ich komme aus China. Ich bin Lehrerin. Ich bin seit drei Monaten in Murnau, ich möchte gut Deutsch lernen. Ich wandere sehr gern, ich gehe oft in die Berge.

Ich wohne in der Talgasse 25. Ich finde Murnau sehr schön, aber ich fahre auch oft nach München – da gibt es mehr Geschäfte und Kinos.

Sprechen Teil 2

1

Mögliche Lösungen:

a Wohnen, Seite 98

1. Wie lange haben Sie Ihre Wohnung schon? 2. Haben Sie eine große Wohnung? 3. Wohnen Sie allein? 4. Wann haben Sie die Wohnung gefunden? 5. Wie groß ist Ihr Zimmer? 6. Wie haben Sie die Wohnung gefunden?

b Lernen, Seite 98

1. Wie lange lernen Sie schon Deutsch? 2. Was finden Sie im Deutschkurs interessant? 3. Wann beginnt der Unterricht? 4. Finden Sie Deutsch sehr schwer? 5. Haben Sie Freunde im Kurs? 6. Wie viele Personen sind in Ihrem Kurs?

c Reisen, Seite 99

1. Wohin möchten Sie fahren? 2. Waren Sie schon oft im Ausland? 3. Mit wem möchten Sie Urlaub machen? 4. Fahren Sie mit dem Auto in Urlaub? 5. Wie lange haben Sie Urlaub? 6. Warum sind Sie in Deutschland?

d Umwelt, Seite 99

1. Wie finden Sie das Wetter in Deutschland? 2. Fahren Sie oft ans Meer? 3. Was gefällt Ihnen an Deutschland? 4. Wo möchten Sie am liebsten wohnen? 5. Möchten Sie gern in der Großstadt leben? 6. Welche Landschaft finden Sie schön?

e Beruf, Seite 99

1. Was sind Sie von Beruf? 2. Wie lange arbeiten Sie jeden Tag? 3. Wie sieht Ihr Arbeitsplatz aus?

4. Macht Ihnen die Arbeit Spaß? 5. Haben Sie sympathische Kollegen? 6. Warum haben Sie diesen Beruf gewählt?

f Einkaufen, Seite 99

1. Wo kaufen Sie Ihre Kleidung? 2. Was brauchen Sie für Ihr Frühstück? 3. Kaufen Sie viele Bücher? 4. Wann kaufen Sie Lebensmittel ein? 5. Wie viel Geld brauchen Sie für Zeitungen und Zeitschriften? 6. Mit wem gehen Sie gern einkaufen?

2, Seite 100

Mögliche Lösungen:

a Wohnen

1. Seit zwei Jahren. 2. Nein, nur zwei Zimmer. 3. Ja, ich lebe allein. 4. Im Sommer 2002. 5. Vielleicht 14 Quadratmeter. 6. In der Zeitung.

b Lernen

1. Seit vier Monaten. 2. Die Dialoge und Übungen. 3. Um neun Uhr. 4. Ja, es ist eine schwierige Sprache. 5. Ja, Luisa ist meine Freundin. 6. Zwölf.

c Reisen

1. Nach Skandinavien. 2. Nur in Deutschland. 3. Mit meinem Freund. 4. Nein, ich fliege. 5. Vier Wochen. 6. Ich möchte Deutsch lernen.

d Umwelt

1. Es regnet zu oft. 2. Nein, es ist zu weit. 3. Ich finde die Städte interessant. 4. In Süddeutschland. 5. Ja, aber vielleicht nicht für immer. 6. Ich mag die Berge.

e Beruf

1. Ich bin Lehrerin. 2. Acht bis zehn Stunden. 3. Ich habe einen großen Schreibtisch und einen Computer. 4. Ja, meistens. 5. Ich habe nur eine Kollegin, die ist nett. 6. Ich arbeite gern mit Kindern.

f Einkaufen

1. Im Stadtzentrum. 2. Kaffee, Brötchen, Marmelade und Milch. 3. Nein, vielleicht eins im Monat. 4. Am Abend. 5. Circa 20 Euro im Monat. 6. Mit meiner Schwester.

Sprechen Teil 3

1, Seite 101

Mögliche Lösung:

A: Am Montagabend esse ich bei Monika, Dienstag und Donnerstag habe ich Englischkurs, am Mittwoch Basketball und am Freitag bin ich bei meinen Eltern. Kannst du vielleicht am Samstag?
B: Ich kann eigentlich nur am Montag, wenn du bei Monika bist! Am Samstagabend gehe ich zu Georgs Party; vielleicht kannst du da mitkommen! Soll ich Georg fragen?
A: Finde ich toll! Sollen wir vor der Party noch zusammen schwimmen gehen?

B: Gut, das machen wir so! Und ich frag noch Georg …

2, Seite 102

A: Wir können Sabine ein Parfüm schenken …
B: Aber das ist doch langweilig! Kaufen wir ihr lieber eine Eintrittskarte für die Mozart-Oper und eine Mozart-CD!
A: Ich weiß nicht … Aber Sabine reist doch gerne! Vielleicht schenken wir ihr einen Reiseführer für ihre Reise nach Brasilien?
B: Das ist eine gute Idee! Und dazu ein Wörterbuch Deutsch-Portugiesisch!

3, Seite 102

A: Wir können morgens mit dem Fahrrad zum Schwimmbad fahren …
B: Oder lieber mit dem Auto zum See! Dann können wir am Nachmittag dort in den Biergarten gehen.
A: Ja, das ist toll! Aber wir können doch mit der Straßenbahn fahren, dann können wir alle Bier trinken. Und vielleicht machen wir noch eine kleine Schifffahrt?
B: Genau, so machen wir das: Morgens fahren wir mit der Straßenbahn zum See, am Nachmittag machen wir eine Schifffahrt und am Abend gehen wir noch in den Biergarten!

Simulation *Goethe-Zertifikat A 2 / Start Deutsch 2*

Hören Teil 1, Seite 103

1 vielleicht am Samstag
2 werktags bis zwanzig Uhr
3 Käse, Eier und etwas Salat
4 45 61 711
5 um sieben Uhr am Abend

Hören Teil 2, Seite 104

6 c; 7 a; 8 b; 9 c; 10 c

Hören Teil 3, Seite 105

11 i; 12 h; 13 d; 14 f; 15 e

Lesen Schreiben

Lesen Teil 1, Seite 106/107

1 b; 2 b; 3 b; 4 a; 5 c

Lesen Teil 2, Seite 108

6 f; 7 f; 8 r; 9 f; 10 f

Lesen Teil 3, Seite 109/110

11 g; 12 a; 13 f; 14 X; 15 e

Schreiben Teil 1, Seite 111

1 8000
2 23.11.1980
3 ledig / nicht verheiratet
4 drei Wochen
5 Deutsch, Englisch

Schreiben Teil 2, Seite 112

Mögliche Lösung:

Lieber Pierre,

herzlichen Glückwunsch zu deiner neuen Wohnung! Wie ist deine neue Adresse?
Natürlich helfe ich Dir beim Umzug. Vielleicht kommen Rolf und Ursula auch, ruf sie doch mal an! Ich kann am Samstagmorgen zu Dir kommen, ich nehme das große Auto von meinem Bruder, dann sind wir am Abend vielleicht schon fertig.
Wir sehen uns am Samstag, okay?   (46 Wörter)

Sprechen Teil 1, Seite 112

Mögliche Lösung:

Ich heiße …
Ich bin … Jahre alt und komme aus …
Meine Muttersprache ist …, aber ich spreche auch … / ich spreche keine anderen Fremdsprachen, aber jetzt lerne ich Deutsch.
Ich bin … von Beruf / Ich studiere … / Ich möchte später als … arbeiten.
Mein Hobby ist …
1. Ich habe in der Schule ein bisschen Deutsch gelernt und jetzt besuche ich hier einen Deutschkurs, seit vier Monaten.
2. Ja, ich kann gut Spanisch, meine Mutter ist Spanierin. / Nein, ich spreche nur ein bisschen Deutsch.

Sprechen Teil 2, Seite 113

Mögliche Lösung:

A: (Wie …?) Wie ist das Wetter bei Ihnen im Sommer?
B: Es ist sehr heiß, 35–40 Grad.
B: (…?) Ist es in Ihrem Land auch so heiß?
A: Nein, 40 Grad haben wir nie, aber der Sommer ist sehr schön bei uns.
A: (Was …?) Was machen die Leute, wenn es so heiß ist?
B: Wir bleiben am Mittag im Haus, abends ist es dann sehr lustig auf den Straßen.
B: (Wann …?) Wann regnet es in Ihrem Land?
A: Bei uns regnet es sehr oft, in jeder Jahreszeit, aber am meisten im Herbst.
A (…?) Gibt es bei Ihnen gar keinen Regen?
B: Doch, im Juni und Juli regnet es jeden Tag, aber es ist nicht kalt.

B: (Wie oft …?) Wie oft schneit es in Ihrem Land?
A: Manchmal ist der Winter nicht sehr kalt, dann schneit es nur in den Bergen, aber manchmal haben wir auch in der Stadt Schnee.

Sprechen Teil 3, Seite 114 /115

Mögliche Lösung:

A: Ich habe am ersten Wochenende im Juli Besuch und am 10. Juli will ich zum Jazzfestival … aber das ist vielleicht nicht so wichtig. Bis du am 10. Juli frei?
B: Nein, da bin ich auf Rügen in Urlaub, das geht nicht. Vielleicht können wir am 24. Juli nach Berlin fahren.
A: Tut mir leid, da habe ich Ferien, da bin ich in Spanien. Ich glaube, wir können erst im August nach Berlin fahren.
B: Anfang August kann ich nicht, aber vielleicht am 15.8., das geht, ich kann meine Theaterkarte meiner Freundin schenken. Wollen wir am 15. August fahren?
A: Wie schade! Da habe ich wieder Besuch, aber wie ist es denn am 22. August?
B: Da will ich nach Köln fahren und ein Geschenk für meine Mutter kaufen.
A: Das kannst du doch auch in Berlin machen. Komm, wir fahren am 22. August, okay?
B: Gut, dann machen wir das so.